NAPOLEON HILL

Autor de ✛ ESPERTO QUE O DIABO e *Atitude Mental Positiva*

PUBLICAÇÃO OFICIAL AUTORIZADA

TODO DIA

365 dias de Sucesso

Título original: *Think and Grow Rich Every Day*

Copyright © 2010 by Joel Fotinos and August Gold

Napoleon Hill todo dia: 365 dias de sucesso
1ª edição: Janeiro 2024

Direitos reservados desta edição: CDG Edições e Publicações

O conteúdo desta obra é de total responsabilidade do autor
e não reflete necessariamente a opinião da editora.

Autores:
Napoleon Hill | Joel Fotinos | August Gold

Tradução:
Débora Isidoro

Preparação de texto:
Flavia Araujo

Revisão:
Daniela Georgeto
Rebeca Michelotti

Projeto gráfico e capa:
Jéssica Wendy

DADOS INTERNACIONAIS DE CATALOGAÇÃO NA PUBLICAÇÃO (CIP)

Hill, Napoleon.
  Napoleon Hill todo dia : 365 dias de sucesso / Napoleon Hill, Joel Fotinos, August Gold ; tradução de Débora Isidoro. — Porto Alegre : Citadel, 2024.
  400 p.

ISBN 978-65-5047-230-6
Título original: Think and Grow Rich Every Day

1. Autoajuda 2. Desenvolvimento pessoal 3. Sucesso 4. Finanças 5. Carreira I. Título II. Fotinos, Joel III. Gold, August IV. Isidoro, Débora

23-6920   CDD - 158.1

Angélica Ilacqua - Bibliotecária - CRB-8/7057

Produção editorial e distribuição:

contato@citadel.com.br
www.citadel.com.br

NAPOLEON HILL

Autor de **✢ ESPERTO QUE O DIABO** e *Atitude Mental Positiva*

PUBLICAÇÃO OFICIAL AUTORIZADA

Tradução: Débora Isidoro

TODO DIA

365 dias de Sucesso

Adaptação por **JOEL FOTINOS** e **AUGUST GOLD**

SUMÁRIO

Introdução de Joel Fotinos e August Gold 7
Seus seis passos para o sucesso 11
Minha declaração de desejo 15

1. JANEIRO – Desejo 17
2. FEVEREIRO – Fé 49
3. MARÇO – Autossugestão 79
4. ABRIL – Conhecimento especializado 111
5. MAIO – Imaginação 143
6. JUNHO – Planejamento organizado 175
7. JULHO – Decisão 207
8. AGOSTO – Persistência 239
9. SETEMBRO – Poder do MasterMind 271
10. OUTUBRO – O mistério da transmutação do sexo 303
11. NOVEMBRO – A mente subconsciente – O cérebro 335
12. DEZEMBRO – O sexto sentido – Como vencer os seis fantasmas do medo 367

Sobre o autor 399

INTRODUÇÃO

Quando comecei a ler *Quem pensa enriquece* e aplicar seus princípios de verdade, descobri algo simples e profundo. Descobri que quando eu lia *Quem pensa enriquece* todos os dias, e aplicava o que lia todos os dias em minha vida, tinha mais sucesso. Quando não fazia essas coisas todos os dias, tinha menos sucesso. Isso pode não parecer novidade para mais ninguém, mas esse simples fato mudou completamente minha vida.

Até me dar conta disso, eu havia lido trechos do livro, experimentado algumas das sugestões mencionadas por Napoleon Hill no texto, e até criado minha "Declaração de Desejo", embora não sentisse necessidade de ler essa declaração duas vezes por dia, como ele sugere. Era mais esporádico em meus gestos, e a falta de resultados revelava minha falta de comprometimento. Como diz o ditado, "meias-medidas não nos levam a nada", essa certamente foi minha experiência. Naquela época, eu era alguém que acreditava em "desejar e torcer" pelo sucesso, sem fazer o esforço necessário para contribuir com ele.

Mas, como Napoleon Hill ensina muitas vezes, "Não se pode ser alguma coisa em troca de nada". Então, decidi me comprometer inteiramente com os princípios encontrados em *Quem pensa enriquece* e ver até onde eles me levavam.

Quando eu me comprometi a ler o livro todos os dias e fazer tudo o que era sugerido com a mesma disposição com que Napoleon Hill escreveu o livro, tudo começou a mudar para mim. Passei a ter sucesso quase imediatamente. Por quê? Porque, como Napoleon Hill sugere em

seu livro inovador *Quem pensa enriquece*, quando somos ativos na vida todos os dias, nós nos "envolvemos" em nossa vida. Quando estamos engajados, podemos decidir influenciar nossa vida todos os dias e, assim, influenciamos automaticamente todos os dias seguintes. Quem não se envolve diariamente na própria vida não tem a mesma experiência.

Nos anos seguintes à minha feliz descoberta de *Quem pensa enriquece*, li o livro muitas vezes e trabalhei com grupos e parceiros e também ensinei os princípios a centenas de pessoas em workshops *Quem pensa enriquece*. Ainda me deliciei com a outra obra-prima de Napoleon Hill, *A lei do sucesso*, que contém muitas das mesmas ideias, além de outros conceitos coerentes com *Quem pensa enriquece*. De toda essa experiência que eu e meu parceiro MasterMind August Gold tivemos com os princípios, surgiram dois projetos. O primeiro, *The Think and Grow Rich Workbook*, um complemento para o original *Quem pensa enriquece* e que contém exercícios que ajudam os leitores a começar a aplicar as sugestões de *Quem pensa enriquece* em sua vida. E agora chega *Napoleon Hill todo dia: 365 dias de sucesso*, que é um jeito de pegar a inspiração de *Quem pensa enriquece* e *A lei do sucesso* e lucrar com esses tesouros diariamente.

Algumas observações sobre *Napoleon Hill todo dia: 365 dias de sucesso*, antes de você começar a leitura. Primeiro, todo o material em *Napoleon Hill todo dia: 365 dias de sucesso* vem das edições originais de *Quem pensa enriquece* (1937) e *A lei do sucesso* (1928). No entanto, fizemos alterações muito suaves de pontuação e outras alterações gramaticais e condensações, de forma que o texto faça mais sentido quando for lido em porções diárias inspiracionais. Napoleon Hill escreveu esse material há quase um século, durante e depois da Grande Depressão, e a linguagem daquela época – inclusive o uso de pronomes e exemplos masculinos – é um pouco diferente da que usamos hoje. Deixamos a maior parte disso intocada, inclusive uma ou outra referência ou palavra datada, ou o uso de letras maiúsculas ou itálico

para enfatizar certas palavras ou frases, com poucos e pequenos ajustes pelo bem da clareza.

Um jeito poderoso de ler este material é pegar um grande princípio e estudá-lo por um mês inteiro. No entanto, há treze princípios em *Quem pensa enriquece* e apenas doze meses no ano. Decidimos, então, unir dois capítulos menores, "A mente subconsciente" e "O cérebro", em um mês de estudo. Além disso, como o material é muito importante, acrescentamos seções de "Como vencer os seis fantasmas do medo" ao princípio de dezembro, o Sexto Sentido. *Napoleon Hill todo dia: 365 dias de sucesso* destina-se a complementar os textos originais, não os substituir. Se você ficar interessado por qualquer ideia ou princípio específico em *Napoleon Hill todo dia: 365 dias de sucesso*, sugerimos que recorra a *Quem pensa enriquece* e *A lei do sucesso* para compreender melhor a filosofia de Napoleon Hill e conhecer o texto em sua forma original.

Em *Quem pensa enriquece*, Napoleon Hill pede aos leitores para darem "seis passos práticos" que vão transmutar desejos em riquezas. Esses passos são chaves em *Quem pensa enriquece*, por isso os colocamos no início deste guia diário, na seção que chamamos de "Seus seis passos para o sucesso". Leia os seis passos, faça o que eles sugerem e depois crie sua "Declaração de Desejo". Depois que você escrever seu objetivo e suas intenções, as leituras diárias ajudarão a alcançar esse objetivo.

Quem pensa enriquece vendeu milhões de cópias e seguiu nas listas de *best-sellers* desde sua publicação original, em 1937. Por quê? Porque a filosofia que ele contém funcionou para muita gente. Agora é hora de você ser inspirado diariamente!

– *Joel Fotinos e August Gold*

SEUS SEIS PASSOS PARA O SUCESSO

de *Quem pensa enriquece* de Napoleon Hill

O método pelo qual o desejo de enriquecer pode ser transmutado em seu equivalente financeiro consiste em seis passos definidos e práticos:

PRIMEIRO. Fixe o pensamento na quantia exata que deseja. Não é suficiente dizer apenas "quero muito dinheiro". Seja preciso quanto ao valor.

SEGUNDO. Determine exatamente o que pretende dar em troca pelo dinheiro que deseja. (Não existe essa coisa de "algo a troco de nada" na vida real.)

TERCEIRO. Defina uma data para quando pretende *possuir* o dinheiro que deseja.

QUARTO. Crie um plano definido para realizar seu desejo, e comece *imediatamente*, esteja pronto ou não, a pôr esse plano em *ação*.

QUINTO. Escreva uma declaração clara e concisa da quantia em dinheiro que pretende adquirir, determine o prazo para sua aquisição com uma data limite, estabeleça o que pretende dar em troca pelo dinheiro e descreva claramente o plano para acumular esse valor.

SEXTO. Leia sua declaração escrita em voz alta, duas vezes por dia, uma vez à noite, antes de se deitar, e novamente pela manhã, ao se levantar. Ao ler, veja, sinta e acredite que você já possui o dinheiro.

As instruções dadas em relação aos seis passos serão agora resumidas e misturadas aos princípios, como a seguir:

1. Vá para um lugar tranquilo (de preferência na cama, à noite), onde não será perturbado ou interrompido, feche os olhos e repita em voz alta (para que possa ouvir as próprias palavras) a declaração escrita da quantia em dinheiro que pretende acumular, o prazo para seu acúmulo com uma data limite e uma descrição do serviço ou da mercadoria que pretende dar em troca pelo dinheiro. Ao seguir essas instruções, veja-se já em posse do dinheiro.

Por exemplo, vamos supor que você pretende acumular R$ 50 mil até o dia primeiro de janeiro, daqui a cinco anos, e que pretende prestar serviços em troca desse dinheiro exercendo a atividade de vendedor. Sua declaração de objetivo deve ser escrita mais ou menos assim:

Em primeiro de janeiro de 20XX terei em meu poder R$ 50 mil, que chegarão a mim em quantias variadas de tempos em tempos ao longo desse período.

Por esse dinheiro, prestarei o mais eficiente serviço de que sou capaz, entregando o máximo possível, com a melhor qualidade possível, no serviço como vendedor de... (descreva o serviço ou a mercadoria que pretende vender). Acredito que terei esse dinheiro em meu poder. Minha fé é tão forte que posso ver agora o dinheiro diante dos meus olhos. Posso tocá-lo com minhas

mãos. Ele agora espera ser transferido para mim na data e na proporção em que eu entregar o serviço que pretendo prestar por ele. Estou esperando um plano por meio do qual acumular esse dinheiro, e vou seguir esse plano quando ele for recebido.

2. Repita o primeiro passo à noite e de manhã até poder ver (em sua imaginação) o dinheiro que pretende acumular.
3. Deixe uma cópia da sua declaração escrita em um lugar onde possa vê-la à noite e de manhã, e a leia antes de se deitar e ao se levantar, até fixá-la na memória.

Ao seguir essas instruções, lembre-se de que está aplicando o princípio da autossugestão com o propósito de dar ordens à sua mente subconsciente. Lembre-se também de que sua mente subconsciente só vai cumprir instruções que forem carregadas de emoção e transmitidas a ela com "sentimento". Fé é a mais forte e mais produtiva das emoções. Siga as instruções com fé.

Essas instruções podem parecer abstratas, de início. Não se deixe perturbar por isso. Siga as instruções, por mais abstratas ou impraticáveis que possam parecer, no início. Logo vai chegar um tempo em que, se agir como foi instruído, *com espírito, além de atitude*, todo um novo universo de poder vai se descortinar na sua frente.

MINHA DECLARAÇÃO DE DESEJO

A quantia exata de dinheiro que desejo é:
_____.

Em troca do dinheiro que desejo, pretendo
_____.

A data definida em que pretendo ter esse dinheiro é
_____.

Meu plano definido de ação é:

1. _____

2. _____

3. _____

Assinado: _____

Data: _____

JANEIRO

O primeiro passo para a riqueza

DESEJO

1º de janeiro

Um impulso intangível de pensamento pode ser transmutado em sua contraparte física pela aplicação de princípios conhecidos. Verdadeiramente, "pensamentos são coisas", e coisas poderosas, quando misturados com definição de objetivo, persistência e um desejo ardente por sua tradução em riqueza ou bens materiais.

2 de janeiro

Todo ser humano que chega à idade de entender o propósito do dinheiro o deseja. *Desejar* não traz riqueza. Mas *desejar* riqueza com um estado mental que se torne uma obsessão, e então planejar formas e meios definidos de enriquecer, e respaldar esses planos com uma persistência que *não reconhece fracasso,* vai trazer a riqueza.

3 de janeiro

Toda pessoa que vence em qualquer empreendimento deve estar disposta a queimar seus navios e cortar todas as linhas de retirada. Só assim pode ter certeza de manter esse estado mental conhecido como um ardente desejo de vencer, essencial ao sucesso.

4 de janeiro

Quando a oportunidade chega, ela sempre aparece de uma forma diferente, e vem de uma direção diferente daquela que se espera. Essa é uma das complicações da oportunidade. Ela tem o hábito dissimulado de entrar pela porta do fundo, e muitas vezes vem disfarçada de infortúnio, ou derrota temporária. Talvez por isso tantas pessoas deixem de reconhecer a oportunidade.

5 de janeiro

Você pode se queixar de que é impossível "ver-se em posse do dinheiro" antes de tê-lo de fato. É aí que o desejo ardente o ajuda. Se você realmente deseja o dinheiro tão intensamente que seu desejo se torna uma obsessão, não terá dificuldade para se convencer de que vai adquiri-lo.

6 de janeiro

Ao iniciante, que não foi educado nos princípios funcionais da mente humana, essas instruções podem parecer impraticáveis. Talvez seja útil saber que a informação que elas transmitem foi recebida de Andrew Carnegie, que começou como um trabalhador comum nas siderúrgicas, mas conseguiu, apesar de sua origem humilde, fazer esses princípios renderem a ele uma fortuna considerável de mais de cem milhões de dólares. Pode ajudar ainda mais saber que os seis passos aqui recomendados foram cuidadosamente estudados e aprovados por Thomas Edison, que os considerou passos essenciais não só para o acúmulo de dinheiro, mas para a conquista de *qualquer objetivo definido.*

7 de janeiro

Nós, que estamos nessa corrida pela riqueza, devemos ser incentivados a entender que esse mundo mudado em que vivemos exige novas ideias, novas maneiras de fazer as coisas, novos líderes, novas invenções, novos métodos de ensino, novos métodos de marketing, novos livros, nova literatura, novos recursos para o rádio, novas ideias para o cinema. Por trás de toda essa demanda por coisas novas e melhores, há uma qualidade que é preciso ter para vencer, que é a definição de propósito, o conhecimento do que se quer e um desejo ardente de possuir essa coisa. Este mundo mudado requer sonhadores práticos que possam *e queiram* colocar seus sonhos em ação. Os sonhadores práticos sempre foram e sempre serão os que criam padrões da civilização.

8 de janeiro

Quando você começar a pensar e enriquecer, observará que a riqueza começa com um estado de espírito, com definição de objetivo, com pouco ou nenhum trabalho duro. Você e todas as outras pessoas deveriam estar interessadas em saber como adquirir esse estado de espírito que atrai riquezas. Passei 25 anos pesquisando, analisando mais de 25 mil pessoas, porque eu também queria saber "como os homens ricos se tornam ricos".

9 de janeiro

A vida é estranha e muitas vezes imponderável! Tanto os sucessos quanto os fracassos têm suas raízes em experiências simples. No entanto, para prosperar com essas experiências, você deve *analisá-las* e encontrar a lição que elas contêm. Uma boa ideia é tudo o que se precisa para alcançar o sucesso.

10 de janeiro

Quando as riquezas começam a chegar, chegam tão rapidamente, com tamanha abundância, que é de se perguntar onde estiveram escondidas durante todos esses anos magros. Essa é uma afirmação surpreendente, ainda mais quando levamos em consideração a crença popular de que a riqueza só chega para aqueles que trabalham duro e por muito tempo.

11 de janeiro

Quando Henley escreveu as palavras proféticas, "Eu sou o Mestre do meu Destino, eu sou o Capitão da minha Alma", ele deveria ter nos informado que somos os mestres do nosso destino, os capitães de nossa alma, *porque* temos o poder de controlar nossos pensamentos. Ele deveria ter explicado que o éter no qual esta pequena terra flutua, no qual nos movemos e existimos, é uma forma de energia que se move em uma velocidade de vibração inconcebivelmente alta, e que o éter é cheio de uma forma de poder universal que se adapta à natureza dos pensamentos que mantemos na cabeça e nos influencia, de maneira natural, a transmutar nossos pensamentos em seu equivalente físico.

12 de janeiro

O mundo se acostumou com novas descobertas. Ou melhor, demonstrou-se disposto a recompensar o sonhador que dá a ele uma nova ideia. "A maior conquista era, no início e por um tempo, só um sonho." "O carvalho dorme na bolota. O pássaro espera no ovo e, na visão mais elevada da alma, um anjo desperta. Os sonhos são os brotos da realidade."

13 de janeiro

Para ter sucesso, você deve escolher um desejo definido; coloque toda a sua energia, toda a sua força de vontade, todo o seu esforço, tudo nesse objetivo. Permaneça junto do seu desejo até que ele se torne a obsessão dominante da sua vida – e, por fim, um fato.

14 de janeiro

O sucesso chega para aqueles que se tornam conscientes do sucesso. O fracasso chega para aqueles que, de maneira indiferente, se permitem tornar-se conscientes do fracasso. O objetivo é aprender a arte de mudar sua mente da consciência do fracasso para a consciência do sucesso.

15 de janeiro

Nós nos recusamos a acreditar naquilo que não entendemos. Acreditamos de maneira tola que nossas próprias limitações são a medida adequada das limitações. Milhões de pessoas olham para as realizações de Henry Ford e o invejam, por causa de sua boa sorte, genialidade, ou seja lá o que atribuam à fortuna de Ford. Talvez uma em cada cem mil pessoas conheça o segredo do sucesso de Ford, e aquelas que o conhecem são muito modestas ou muito relutantes para falar sobre isso, *por causa da simplicidade da coisa*. Henry Ford foi bem-sucedido porque compreendeu e *aplicou* os princípios do sucesso. Um deles é o desejo: saber o que se quer.

16 de janeiro

O objetivo é desejar dinheiro e se tornar tão determinado a tê-lo que você se convence de que o terá. Somente aqueles que se tornam "conscientes do dinheiro" acumulam grandes riquezas. "Consciência do dinheiro" significa que a mente se tornou tão completamente impregnada do desejo por dinheiro, que a pessoa já pode se ver em posse dele.

17 de janeiro

A mente não faz nenhuma discriminação entre pensamentos destrutivos e pensamentos construtivos; ela nos leva a traduzir em realidade física os pensamentos de pobreza com a mesma rapidez com que nos influencia a pôr em prática os pensamentos de riqueza. O cérebro é magnetizado pelos pensamentos dominantes que mantemos e, por meios que nenhum homem conhece, esses "ímãs" atraem para nós as forças, as pessoas, as circunstâncias da vida que se harmonizam com a natureza dos nossos pensamentos *dominantes*.

18 de janeiro

Antes de podermos acumular riquezas com grande abundância, temos que magnetizar a mente com um intenso desejo de riqueza; devemos nos tornar "conscientes do dinheiro" até que o desejo por dinheiro nos leve a criar planos definidos para adquiri-lo.

19 de janeiro

Aquele que deseja acumular riquezas deve lembrar que os verdadeiros líderes do mundo sempre foram homens que aproveitaram e puseram em prática as forças intangíveis e invisíveis da oportunidade, que não nasceu com eles, e converteram essas forças (ou impulsos de pensamento) em arranha-céus, cidades, fábricas, aviões, automóveis e toda comodidade capaz de tornar a vida mais agradável.

Tolerância e mente aberta são necessidades práticas do sonhador de hoje. Quem tem medo de novas ideias está condenado antes de começar. Nunca houve um tempo mais favorável aos pioneiros do que o presente. É verdade que não há um oeste selvagem e caótico a ser conquistado, como nos dias da carroça coberta, mas há um vasto mundo comercial, financeiro e industrial a ser remodelado e redirecionado para novos e melhores rumos.

20 de janeiro

Ao planejar adquirir sua parte nas riquezas, não deixe que ninguém o influencie a desprezar o sonhador. Para ganhar as grandes apostas neste mundo mudado, você deve captar o espírito dos grandes pioneiros do passado, cujos sonhos deram à civilização tudo o que ela tem de valor, o espírito que serve como a força vital de nosso próprio país – sua oportunidade, e a minha, para desenvolver e comercializar nossos talentos.

Não vamos esquecer que Colombo sonhou com um mundo desconhecido, apostou sua vida na existência desse mundo e o descobriu!

Copérnico, o grande astrônomo, sonhou com uma multiplicidade de mundos e os revelou! Ninguém o denunciou como "impraticável" *depois* que ele triunfou. Em vez disso, o mundo o venerou, provando mais uma vez que "o sucesso não exige desculpas e o fracasso não permite álibis".

21 de janeiro

Se o que você deseja fazer é certo e *você acredita nisso*, vá em frente e faça! Vá atrás de seu sonho e não se importe com o que "eles" dirão, se você encontrar uma derrota temporária, pois "eles", talvez, não saibam que todo fracasso traz em si a semente de um sucesso equivalente.

22 de janeiro

Acredito no poder do desejo apoiado pela fé, porque vi esse poder elevar homens de origem humilde a posições de poder e riqueza. Eu o vi roubar o túmulo de suas vítimas. Eu o vi servir como o meio pelo qual os homens retornavam depois de terem sido derrotados de centenas de maneiras diferentes. Eu vi isso proporcionar ao meu filho uma vida normal, feliz e bem-sucedida, apesar de a Natureza tê-lo enviado ao mundo sem orelhas.

Por meio de algum estranho e poderoso princípio de "química mental" que ela nunca divulgou, a Natureza embute no impulso do forte desejo "aquele algo" que não reconhece a palavra *impossível* e não aceita o fracasso como uma realidade.

23 de janeiro

É meu dever e privilégio dizer que acredito, e não sem razão, que nada é impossível para a pessoa que baseia o desejo em fé duradoura.

Na verdade, um desejo ardente tem maneiras tortuosas de transmutar-se em seu equivalente físico.

Estranho e imponderável é o poder da mente humana! Não entendemos o método pelo qual ela usa cada circunstância, cada indivíduo, cada coisa física ao seu alcance como um meio de transmutar o desejo em seu equivalente físico. Talvez a ciência descubra esse segredo.

24 de janeiro

Na verdade, meu próprio filho me ensinou que as deficiências podem ser convertidas em trampolins pelos quais se pode subir em direção a algum objetivo digno, a menos que sejam aceitas como obstáculos e usadas como justificativas.

Pense nas palavras do imortal Emerson: "Todo o curso das coisas serve para nos ensinar a fé. Precisamos apenas obedecer. Há uma orientação para cada um de nós e, ouvindo humildemente, escutaremos a *palavra certa*". A palavra certa? *Desejo!*

25 de janeiro

Acenda novamente em sua mente o fogo da esperança, da fé, da coragem e da tolerância. Se você tiver esses estados de espírito e um conhecimento prático dos princípios descritos, tudo o mais de que precisar virá quando você estiver pronto para isso. Deixe Emerson expressar o pensamento nestas palavras: "Cada provérbio, cada livro, cada palavra que pertence a você para auxílio e consolo certamente voltará para casa através de passagens abertas ou sinuosas. Todo amigo que não é governado por tua fantasia, mas pelo grande e terno espírito em ti que anseia, te aprisionará em seu abraço".

26 de janeiro

Há uma diferença entre desejar uma coisa e estar pronto para recebê-la. Ninguém está *pronto* para uma coisa até *acreditar* que pode adquiri-la. O estado de espírito deve ser crença, não mera esperança ou desejo. A mente aberta é essencial para a crença. Mentes fechadas não inspiram fé, coragem e crença.

Lembre-se, não é necessário mais esforço para ter objetivos elevados na vida, para exigir abundância e prosperidade, do que para aceitar a miséria e a pobreza.

27 de janeiro

Acordem, levantem-se e afirmem-se, sonhadores do mundo. Sua estrela está agora em ascensão. A depressão mundial trouxe a oportunidade que vocês esperavam. Ensinou às pessoas humildade, tolerância e mente aberta.

O mundo está repleto de oportunidades que os sonhadores do passado nunca conheceram. Um desejo ardente de ser e fazer é o ponto de partida do qual o sonhador deve decolar. Os sonhos não nascem da indiferença, da preguiça ou da falta de ambição. O mundo não zomba mais do sonhador, nem o chama de impraticável.

28 de janeiro

Você ficou desapontado, sofreu uma derrota durante a depressão, sentiu o coração esmagado até sangrar. Tenha coragem, pois essas experiências temperaram o metal espiritual do qual você é feito – são ativos de valor incomparável.

29 de janeiro

Lembre-se de que todos que têm sucesso na vida começam mal e passam por muitas lutas dolorosas antes de "chegarem lá". O ponto de virada na vida dos bem-sucedidos geralmente ocorre no momento de alguma crise, por meio da qual eles são apresentados aos seus "outros eus".

O. Henry descobriu o gênio adormecido em seu cérebro depois que se deparou com um grande infortúnio e foi confinado em uma cela de prisão. Forçado a conhecer seu "outro eu" e usar a imaginação, descobriu-se um grande autor, em vez de um miserável criminoso e proscrito.

30 de janeiro

A vida é estranha e muitas vezes imponderável! Tanto os sucessos quanto os fracassos têm suas raízes em experiências simples. No entanto, para prosperar com essas experiências, você deve *analisá-las* e encontrar a lição que elas contêm.

31 de janeiro

É muito assustador saber que 95% das pessoas no mundo estão vagando sem rumo pela vida, sem a menor concepção do trabalho para o qual são mais adequadas e sem nenhuma ideia até da necessidade de um objetivo definido pelo qual lutar.

Há uma razão tanto psicológica quanto econômica para a escolha de um objetivo principal definido na vida. A psicologia estabelece como princípio que os atos de uma pessoa estão sempre em harmonia com os pensamentos dominantes de sua mente.

Qualquer objetivo principal definido que é deliberadamente fixado na mente e mantido ali, com a determinação de ser realizado, por fim impregna a mente subconsciente até que esta influencie automaticamente a ação física do corpo para a realização desse propósito.

FEVEREIRO

❦

O segundo passo para a riqueza

FÉ

1º de fevereiro

Fé é a principal química da mente. Quando a fé se mistura com a vibração do pensamento, a mente subconsciente instantaneamente capta a vibração, a traduz em seu equivalente espiritual e a transmite à Inteligência Infinita, como no caso da oração.

2 de fevereiro

Um dos maiores poderes para o bem, na face da terra, é a fé. A este poder maravilhoso podem ser atribuídos milagres da mais surpreendente natureza. Ela oferece paz na terra a todos que a abraçam.

A fé envolve um princípio cujo efeito é tão abrangente que nenhum homem pode dizer quais são suas limitações, ou se tem limitações.

3 de fevereiro

As emoções da fé, do amor e do sexo são as mais poderosas de todas as principais emoções positivas. Quando as três se misturam, têm o efeito de "colorir" a vibração do pensamento de tal forma que ele atinge instantaneamente a mente subconsciente, onde se transforma em seu equivalente espiritual, única forma de induzir uma resposta da Inteligência Infinita.

4 de fevereiro

Amor e fé são psíquicos, relacionados ao lado espiritual do homem. Sexo é puramente biológico e relacionado apenas ao físico. A mistura dessas três emoções tem o efeito de abrir uma linha direta de comunicação entre a mente pensante finita do homem e a Inteligência Infinita.

5 de fevereiro

Fé é um estado de espírito que pode ser induzido, ou criado, por afirmação ou repetidas instruções ao subconsciente, por meio do princípio da autossugestão. A repetição da afirmação de ordens para a mente subconsciente é o único método conhecido para o desenvolvimento voluntário da emoção da fé. Isso equivale a dizer que qualquer impulso de pensamento transmitido repetidamente para a mente subconsciente é, por fim, aceito e posto em ação pela mente subconsciente, que passa a traduzir esse impulso em seu equivalente físico, por meio do método mais prático disponível.

6 de fevereiro

Considere novamente a afirmação: todos os pensamentos emocionalizados (carregados de sentimento), e unidos à fé, começam imediatamente a se traduzir em sua contraparte ou seu equivalente físico. As emoções, ou a parte "sensível" dos pensamentos, são os fatores que dão aos pensamentos vitalidade e ação. As emoções de fé, amor e sexo, quando unidas a qualquer impulso de pensamento, dão a ele uma ação maior do que qualquer uma dessas emoções pode fazer isoladamente.

Não apenas os impulsos de pensamento unidos à fé, mas também aqueles que foram unidos a qualquer emoção positiva ou negativa podem atingir e influenciar a mente subconsciente.

7 de fevereiro

A mente subconsciente traduzirá em seu equivalente físico um impulso de pensamento de natureza negativa ou destrutiva com a mesma facilidade com que agirá sobre impulsos de pensamento de natureza positiva ou construtiva. Isso explica o estranho fenômeno que milhões de pessoas experimentam, chamado de "infortúnio" ou "má sorte".

Existem milhões de pessoas que acreditam estar "condenadas" à pobreza e ao fracasso, por alguma força estranha sobre a qual acreditam não ter controle. Eles são os criadores de seus próprios "infortúnios" por causa dessa crença negativa, que é captada pelo subconsciente e traduzida em seu equivalente físico.

8 de fevereiro

Você pode se beneficiar transmitindo ao subconsciente qualquer desejo que queira traduzir em seu equivalente físico ou financeiro, estando em um estado de expectativa ou crença de que a manifestação realmente ocorrerá. Sua crença, ou fé, é o elemento que determina a ação da mente subconsciente. Não há nada que o impeça de "enganar" o subconsciente dando a ele instruções por autossugestão.

Para tornar esse "engano" mais realista, comporte-se exatamente como se já possuísse a coisa material que está exigindo ao invocar o subconsciente.

A mente subconsciente transmutará em seu equivalente físico, pelos meios mais diretos e práticos disponíveis, qualquer ordem que lhe seja dada com uma disposição de crença ou fé de que tal ordem será cumprida.

9 de fevereiro

Se é verdade que alguém pode se tornar um criminoso por associar-se com o crime (e isso é um fato conhecido), é igualmente verdade que alguém pode desenvolver a fé sugerindo voluntariamente ao subconsciente que tem fé. No fim, a mente assume a natureza das influências que a dominam. Entenda esta verdade e você saberá por que é essencial incentivar as *emoções positivas* como forças dominantes de sua mente e desestimular – *e eliminar* – as emoções negativas.

10 de fevereiro

Uma mente dominada por emoções positivas torna-se uma morada favorável para o estado de espírito conhecido como fé. Uma mente assim dominada pode dar instruções à mente subconsciente à vontade, que ela irá aceitar e colocar em prática imediatamente.

11 de fevereiro

Fé é um estado mental que pode ser induzido pela autossugestão. A fé pode ser desenvolvida onde ainda não existe.
Tenha fé em si mesmo; fé no Infinito.

12 de fevereiro

É fato bem conhecido que alguém acaba acreditando em tudo que repete para si mesmo, *seja uma afirmação verdadeira ou falsa*. Se um homem repete uma mentira várias vezes, acaba aceitando a mentira como verdade. Mais que isso, ele acreditará que é a verdade. Todo homem é o que é por causa dos pensamentos dominantes que ele permite que ocupem sua mente. Os pensamentos que um homem deliberadamente coloca na própria mente, e incentiva com simpatia, e com os quais ele une uma ou várias emoções, constituem as forças motivadoras que dirigem e controlam todos os seus movimentos, atos e ações!

13 de fevereiro

Pensamentos que se unem a qualquer emoção constituem uma força "magnética" que atrai, das vibrações do éter, outros pensamentos semelhantes ou relacionados. Um pensamento assim "magnetizado" pela emoção pode ser comparado a uma semente que, quando plantada em solo fértil, germina, cresce e se multiplica continuamente, até que aquilo que originalmente era uma pequena semente se torna incontáveis milhões de sementes da mesma espécie!

14 de fevereiro

O éter é uma grande massa cósmica de forças eternas de vibração. É composta tanto de vibrações destrutivas quanto de vibrações construtivas. Carrega, em todos os momentos, vibrações de medo, pobreza, doença, fracasso, miséria; e vibrações de prosperidade, saúde, sucesso e felicidade.

Do grande armazém do éter, a mente humana está constantemente atraindo vibrações que se harmonizam com aquilo que a domina. Qualquer pensamento, ideia, plano ou propósito que alguém *mantém* em mente atrai, das vibrações do éter, uma hoste de seus parentes, acrescenta esses "parentes" à sua própria força e cresce até se tornar o senhor dominante e motivador do indivíduo em cuja mente foi alojado.

15 de fevereiro

Agora, vamos voltar ao ponto de partida e descobrir como a semente original de uma ideia, plano ou propósito pode ser plantada na mente. A informação é facilmente transmitida: pode-se colocar qualquer ideia, plano ou propósito na mente pela *repetição do pensamento*. É por isso que você é orientado a escrever uma declaração de seu objetivo principal, ou Objetivo Principal Definido, guardá-la na memória e repeti-la em voz alta, dia após dia, até que essas vibrações sonoras tenham alcançado a mente subconsciente.

Somos o que somos por causa das vibrações de pensamento que captamos e registramos por intermédio dos estímulos do nosso ambiente diário.

16 de fevereiro

Decida se livrar das influências de qualquer ambiente infeliz e construir sua própria vida em ordem. Ao fazer um inventário de ativos e passivos mentais, você descobrirá que sua maior fraqueza é a falta de autoconfiança. Essa desvantagem pode ser superada e a timidez pode ser transformada em coragem, com a ajuda do princípio da autossugestão. A aplicação deste princípio pode ser feita por meio de um simples arranjo de impulsos de pensamento positivo declarados por escrito, memorizados e repetidos, até que se tornem parte do equipamento de trabalho de sua mente subconsciente.

17 de fevereiro

FÓRMULA DE AUTOCONFIANÇA Nº 1

(Memorize e repita diariamente)

Eu sei que tenho a capacidade de alcançar meu objetivo definido na vida; portanto, exijo de mim mesmo uma ação persistente e contínua para alcançá-lo e, aqui e agora, prometo realizá-la.

18 de fevereiro

FÓRMULA DE AUTOCONFIANÇA Nº 2

(Memorize e repita diariamente)

Percebo que os pensamentos dominantes da minha mente acabarão por se reproduzir em ação física externa e, gradualmente, se transformarão em realidade física; portanto, durante trinta minutos diários, concentrarei meus pensamentos na tarefa de pensar na pessoa que pretendo me tornar, criando, assim, em minha mente, uma imagem mental clara dessa pessoa.

19 de fevereiro

FÓRMULA DE AUTOCONFIANÇA Nº 3

(Memorize e repita diariamente)

Sei que pelo princípio da autossugestão qualquer desejo que eu mantenha em mente de maneira persistente vai, em algum momento, se expressar por algum meio prático para alcançar o objetivo por trás dele; por isso dedicarei dez minutos diários a exigir de mim mesmo o desenvolvimento da autoconfiança.

20 de fevereiro

FÓRMULA DE AUTOCONFIANÇA Nº 4

(Memorize e repita diariamente)

Escrevi claramente uma descrição do meu Objetivo Principal Definido na vida e nunca vou parar de tentar até que eu tenha desenvolvido autoconfiança suficiente para alcançá-lo.

21 de fevereiro

FÓRMULA DE AUTOCONFIANÇA Nº 5

(Memorize e repita diariamente)

Percebo plenamente que nenhuma riqueza ou posição pode durar muito, a menos que seja construída sobre a verdade e a justiça; portanto, não me envolverei em nenhuma transação que não beneficie a todos que ela envolve. Terei sucesso atraindo para mim as forças que desejo usar e a cooperação de outras pessoas. Induzirei outros a me servir por causa da minha disposição para servir aos outros. Eliminarei o ódio, a inveja, o ciúme, o egoísmo e o cinismo desenvolvendo amor por toda a humanidade, porque sei que uma atitude negativa em relação aos outros nunca pode me trazer sucesso. Farei com que os outros acreditem em mim, porque acreditarei neles e em mim mesmo.

22 de fevereiro

A mente subconsciente (o laboratório químico no qual todos os impulsos de pensamento são combinados e preparados para sua manifestação em realidade física) não faz distinção entre impulsos de pensamento construtivos e destrutivos. Funciona com o material que damos a ela por meio de impulsos de pensamento. A mente subconsciente traduzirá em realidade um pensamento movido pelo medo com a mesma facilidade que fará com outro movido pela coragem ou fé.

Assim como a eletricidade move as rodas da indústria e presta serviços úteis se usada de forma construtiva, ou extingue a vida se usada incorretamente, a lei da autossugestão o levará à paz e à prosperidade ou ao vale da miséria, do fracasso e da morte, de acordo com o quanto você a compreende e aplica.

23 de fevereiro

Se você encher sua mente de medo, dúvida e descrença em sua capacidade de se conectar às forças da Inteligência Infinita e usá-las, a lei da autossugestão vai pegar esse espírito de descrença e usar como um padrão, pelo qual a mente subconsciente o traduzirá em seu equivalente físico.

A lei da autossugestão, pela qual qualquer pessoa pode se elevar a patamares de realização que surpreendem a imaginação, é bem descrita no seguinte verso:

> Se você *pensa* que está derrotado, você está,
> Se você *pensa* que não pode ousar, você não ousa,
> Se você gosta de vencer, mas *pensa* que não vai conseguir,
> É quase certo que não conseguirá.
> Se você *pensa* que vai perder, você está perdido,
> Pois descobrimos que no mundo,
> O sucesso começa com a vontade.
> É tudo uma questão de *estado de espírito*.
> Se você *pensa* que está superado, você está.
> Você tem que *pensar* alto para subir,
> Você tem que *estar seguro de si* antes
> De poder ganhar um prêmio.
> As batalhas da vida nem sempre são vencidas
> Pelo homem mais forte ou mais veloz,
> Mas, cedo ou tarde, quem vence
> É aquele *que pensa que pode*!

24 de fevereiro

Você deve lembrar novamente que:

A fé é o "elixir eterno" que dá vida,
poder e ação ao impulso do pensamento!

Vale a pena ler a frase anterior uma segunda vez, e uma terceira e uma quarta. Vale a pena ler em voz alta!

A fé é o ponto de partida de toda abundância de riquezas!

A fé é a base de todos os "milagres" e de todos os mistérios que não podem ser analisados pelas regras da ciência!

A fé é o único antídoto conhecido para o fracasso!

A fé é o elemento "químico" que, quando unido à oração, oferece uma comunicação direta com a Inteligência Infinita.

A fé é o elemento que transforma a vibração comum do pensamento, criada pela mente finita do homem, no seu equivalente espiritual.

A fé é o único meio pelo qual a força cósmica da Inteligência Infinita pode ser controlada e utilizada pelo homem.

25 de fevereiro

Em algum lugar da sua constituição (talvez nas células do cérebro) jaz *adormecida* a semente da realização que, se despertada e colocada em ação, o levaria a patamares que você nunca esperaria alcançar.

Assim como um virtuoso pode fazer as mais belas notas musicais saírem das cordas de um violino, você também pode despertar o gênio que está adormecido em seu cérebro e fazer com que ele o conduza para qualquer objetivo que deseja alcançar.

Abraham Lincoln foi um fracasso em tudo o que tentou, até depois dos quarenta anos. Ele era um desconhecido até que uma grande experiência aconteceu em sua vida, despertou o gênio adormecido dentro de seu coração e cérebro e deu ao mundo um de seus homens realmente grandiosos.

Essa "experiência" foi misturada com as emoções da tristeza e do amor. Aconteceu por intermédio de Anne Rutledge, a única mulher que ele realmente amou.

26 de fevereiro

É fato conhecido que a emoção do amor é muito semelhante ao estado de espírito conhecido como fé, e isso porque o amor chega muito perto de traduzir os impulsos de pensamento de uma pessoa em seu equivalente espiritual. Durante seu trabalho de pesquisa, o autor descobriu, a partir da análise do trabalho e das realizações de centenas de homens cujos feitos eram notáveis, que havia a influência do amor de uma mulher por trás de quase todos eles. A emoção do amor cria no coração e no cérebro humano um campo favorável de atração magnética, que causa um influxo das vibrações mais elevadas e mais sutis que estão flutuando no éter.

27 de fevereiro

O resumo e a essência dos ensinamentos e das realizações de Cristo, que podem ter sido interpretadas como "milagres", eram nada mais nada menos que a fé. Se existem esses fenômenos chamados "milagres", eles são produzidos apenas por intermédio do estado de espírito conhecido como fé!

Consideremos o poder da fé demonstrado por Mahatma Gandhi. Nesse homem, o mundo teve um dos exemplos mais impressionantes das possibilidades da fé já conhecidos pela civilização. Gandhi exercia mais poder em potencial do que qualquer homem de seu tempo, apesar de não ter nenhuma das ferramentas ortodoxas de poder, como dinheiro, navios de guerra, soldados e material bélico. Gandhi realizou, por meio da influência da fé, aquilo que nem a mais forte potência militar do planeta poderia ter feito nem nunca conseguirá fazer, seja com soldados ou equipamento militar. Ele realizou a incrível façanha de influenciar duzentos milhões de mentes a se unirem e se moverem em uníssono como uma única mente. Que outra força na terra, exceto a fé, poderia fazer tanto?

28 de fevereiro

As riquezas começam em forma de pensamento!

A quantidade é limitada apenas pela pessoa em cuja mente o pensamento é posto em movimento. A fé remove as limitações! Lembre-se disso quando estiver pronto para negociar com a Vida o preço que pretende pedir por ter passado por aqui.

Lembre-se, também, de que o homem que criou a United States Steel Corporation era praticamente um desconhecido na época. Ele era apenas o "funcionário do mês" de Andrew Carnegie até dar à luz sua famosa IDEIA. Depois disso, ascendeu rapidamente a uma posição de poder, fama e riqueza.

Não há limitações para a mente, exceto aquelas que *reconhecemos*.

Tanto a *pobreza* quanto a *riqueza* são frutos do pensamento.

MARÇO

O terceiro passo para a riqueza

AUTOSSUGESTÃO

1º de março

Autossugestão é um termo que se aplica a todas as sugestões e todos os estímulos autoadministrados que atingem a mente por meio dos cinco sentidos. Dito de outra forma, autossugestão é autoconvencimento. É o agente de comunicação entre aquela parte da mente na qual ocorre o pensamento consciente e aquela outra que serve como base da ação para a mente subconsciente.

Por meio dos pensamentos dominantes, cuja permanência é *permitida* na mente consciente (sejam eles negativos ou positivos, é irrelevante), o princípio da autossugestão atinge voluntariamente o subconsciente e o influencia com esses pensamentos.

2 de março

Nenhum pensamento, seja negativo ou positivo, pode entrar na mente subconsciente sem a ajuda do princípio da autossugestão, com exceção dos pensamentos captados do éter.

Dito de outra forma, todas as impressões sensoriais percebidas por meio dos cinco sentidos são interceptadas pela mente pensante consciente e podem ser transmitidas para a mente subconsciente ou rejeitadas, à vontade. A faculdade consciente serve, portanto, como uma sentinela que protege o acesso ao subconsciente.

3 de março

A natureza fez o homem de tal forma que ele tem o controle absoluto sobre o material que chega à mente subconsciente por meio dos cinco sentidos, embora isso não signifique que ele sempre exerça esse controle. Na grande maioria das vezes, ele não o exerce, o que explica por que tantas pessoas passam a vida na pobreza.

4 de março

A mente subconsciente se assemelha a um jardim fértil no qual as ervas daninhas crescerão em abundância, se as sementes de colheitas mais desejáveis não forem ali plantadas. A autossugestão é o meio de controle pelo qual um indivíduo pode voluntariamente alimentar o subconsciente com pensamentos de natureza criativa ou, por negligência, permitir que pensamentos de natureza destrutiva encontrem o caminho para esse rico jardim da mente.

5 de março

Você recebeu anteriormente a instrução para ler em voz alta duas vezes ao dia a declaração escrita de seu desejo por dinheiro, vendo-se e sentindo-se como se já o possuísse! Ao seguir essas instruções, você comunica o objeto de seu desejo diretamente ao subconsciente com uma disposição de fé absoluta. Por meio da repetição deste procedimento, você cria voluntariamente hábitos de pensamento que são favoráveis aos seus esforços para transmutar o desejo em seu equivalente monetário.

6 de março

Ao ler em voz alta a declaração do seu desejo (pela qual você está se esforçando para desenvolver uma "consciência do dinheiro"), a simples leitura das palavras não terá importância – a menos que você misture a elas emoção ou sentimento. A mente subconsciente reconhece e age apenas de acordo com pensamentos bem mesclados com emoção ou sentimento. Esta é a principal razão pela qual a maioria das pessoas que tentam aplicar o princípio da autossugestão não obtém resultados desejáveis. Palavras simples e sem emoção não influenciam a mente subconsciente. Você não vai alcançar resultados apreciáveis até que aprenda a tocar a mente subconsciente com pensamentos ou palavras que foram bem emocionalizados com crença.

7 de março

Não desanime se não conseguir controlar e direcionar as emoções na primeira vez que tentar. Lembre-se, não existe a possibilidade de obter algo a troco de nada. A capacidade de alcançar e influenciar a mente subconsciente tem seu preço, e você deve pagá-lo. Não pode trapacear, mesmo que queira. O preço da capacidade de influenciar a mente subconsciente é a persistência eterna na aplicação dos princípios aqui descritos. Você não pode desenvolver a habilidade desejada por um preço menor. Você, e somente você, deve decidir se a recompensa pela qual está lutando (a "consciência do dinheiro") é ou não digna do preço a ser pago por ela em esforço.

8 de março

Sabedoria e "inteligência" por si só não irão atrair e reter o dinheiro, exceto em alguns casos muito raros, em que a lei das médias favorece a atração do dinheiro por essas fontes. O método aqui descrito para atrair dinheiro não depende da lei das médias. Além disso, o método não tem favoritos. Funciona com a mesma eficiência tanto para uma pessoa quanto para outra. Quando o fracasso acontece, é o indivíduo, *não o método*, que falhou. Se você tentar e falhar, se esforce de novo, e de novo, até conseguir.

9 de março

Você vai precisar desenvolver o princípio da concentração. Quando começar a realizar o primeiro dos seis passos, que o instrui a "fixar na mente a quantia exata de dinheiro que deseja", mantenha os pensamentos fixos nessa quantia de dinheiro com concentração, ou total atenção, com os olhos fechados, até poder realmente ver a aparência física do dinheiro. Faça isso pelo menos uma vez por dia.

10 de março

A sua habilidade de usar o princípio da autossugestão dependerá, em grande parte, da sua capacidade de se concentrar em um determinado desejo até que esse desejo se torne uma obsessão ardente.

Quando começar a realizar o primeiro dos seis passos, que o instrui a "fixar na mente a quantia exata de dinheiro que deseja", mantenha seus pensamentos fixos nessa quantia de dinheiro por meio da concentração, ou da total atenção, com os olhos fechados, até poder ver realmente a aparência física do dinheiro. Faça isso pelo menos uma vez por dia. Ao fazer esse exercício, siga as instruções dadas no capítulo sobre fé e veja-se realmente em posse do dinheiro!

11 de março

Aqui tem um fato muito significativo: a mente subconsciente recebe qualquer ordem a ela dada com uma disposição de fé absoluta, e age de acordo com essa ordem, embora muitas vezes ela deva ser apresentada *várias e várias vezes*, por meio da repetição, antes de ser interpretada pela mente subconsciente. Seguindo a afirmação anterior, considere a possibilidade de fazer uma "pegadinha" perfeitamente legítima com seu subconsciente, fazendo-o acreditar, *porque você acredita*, que deve ter a quantia de dinheiro que está visualizando, que esse dinheiro já está esperando sua reivindicação, que a mente subconsciente deve entregar a você planos práticos para adquirir o dinheiro que é seu.

12 de março

Entregue o pensamento sugerido no dia anterior à sua imaginação e veja o que ela pode ou vai fazer para criar planos práticos para a acumulação de dinheiro por meio da transmutação do seu desejo.

Comece imediatamente a se ver em posse do dinheiro, exigindo e esperando, enquanto isso, que sua mente subconsciente lhe entregue o plano, ou os planos, de que você precisa. Esteja atento a esses planos e, quando eles aparecerem, coloque-os em ação imediatamente. Quando os planos aparecerem, eles provavelmente vão "reluzir" em sua mente por meio do sexto sentido, na forma de uma "inspiração". Essa inspiração pode ser considerada um "telegrama" direto, ou mensagem, da Inteligência Infinita. Trate-a com respeito e aja assim que a receber. Deixar de fazer isso será fatal para o seu sucesso.

13 de março

No quarto dos seis passos, você foi instruído a "criar um plano definido para realizar seu desejo e começar imediatamente a colocar esse plano em ação". Você deve seguir essa instrução da maneira descrita no dia anterior (*12 de março*). Não confie na "razão" ao criar seu plano para acumular dinheiro pela transmutação do desejo. A razão é falha. Além disso, a faculdade do raciocínio pode ser preguiçosa e, se você depender inteiramente dela para servi-lo, ficará decepcionado.

Ao visualizar o dinheiro que pretende acumular (de olhos fechados), *veja-se prestando o serviço ou entregando a mercadoria que pretende dar em troca desse dinheiro. Isso é importante!*

14 de março

Para obter resultados satisfatórios, você deve seguir todas as instruções deste livro com uma disposição de fé. Se escolher seguir algumas instruções, mas negligenciar ou recusar-se a seguir outras, *você vai fracassar*!

15 de março

Você não pode falar de iniciativa a outras pessoas sem desenvolver o desejo de praticá-la você mesmo. Por meio da ação do princípio da autossugestão, cada declaração que você faz aos outros deixa sua marca em sua mente subconsciente, e isso vale para declarações falsas ou verdadeiras.

Você já deve ter ouvido o ditado "Quem vive pela espada, pela espada morrerá".

Interpretado da maneira correta, significa apenas que estamos constantemente atraindo para nós mesmos e entremeando em nosso caráter e personalidade aquelas qualidades que nossa influência ajuda a criar nos outros. Se ajudarmos outras pessoas a desenvolver o hábito da iniciativa, desenvolveremos também esse mesmo hábito. Se semearmos nos outros ódio, inveja e desânimo, desenvolveremos essas qualidades em nós mesmos.

16 de março

Quando sua mente vibra em um ritmo elevado, porque foi estimulada com entusiasmo, essa vibração é registrada na mente de todos em seu raio de ação e, em especial, na mente daqueles com quem você tem um contato próximo. Quando um orador "sente" que a plateia está "en rapport" (em harmonia) com ele, apenas reconhece que seu entusiasmo influenciou a mente de seus ouvintes até que estivessem vibrando em harmonia com a dele.

Quando o vendedor "sente" que o momento "psicológico" para fechar uma venda chegou, ele apenas sente o efeito do próprio entusiasmo, que influenciou a mente do comprador em potencial e a colocou "em harmonia" com a dele.

17 de março

O ceticismo diante de novas ideias é característico de todos os seres humanos. Mas, se você seguir as instruções descritas em *Quem pensa enriquece*, seu ceticismo logo será substituído pela crença, e esta, por sua vez, logo se cristalizará em fé absoluta. Então você terá chegado ao ponto em que poderá dizer verdadeiramente: "Sou o mestre do meu destino, sou o capitão da minha alma!".

18 de março

Muitos filósofos afirmaram que o homem é o mestre do próprio destino *na terra*, mas a maioria deles deixou de explicar o *porquê*. A razão pela qual o homem pode se tornar senhor de si mesmo e de seu ambiente é o poder que ele tem de influenciar o próprio subconsciente e, por meio dele, obter a cooperação da Inteligência Infinita.

19 de março

O desempenho real da transmutação do desejo em dinheiro envolve o uso da autossugestão como agente pelo qual se pode alcançar e influenciar a mente subconsciente. Os outros princípios são apenas ferramentas para a aplicação da autossugestão. Mantenha esse pensamento em mente e você estará sempre consciente do papel importante que o princípio da autossugestão desempenha em seus esforços para acumular dinheiro por meio dos métodos descritos neste livro.

Siga essas instruções como se fosse uma criança pequena. Injete em seus esforços um pouco da fé de uma criança. O autor teve o maior cuidado para garantir que nenhuma instrução impraticável fosse incluída, devido ao seu sincero desejo de ser útil.

20 de março

As vibrações do medo passam de uma mente para outra com a mesma rapidez e segurança com que o som da voz humana passa da estação transmissora para o aparelho receptor de um rádio – e pelo mesmo meio.

A telepatia é uma realidade. Os pensamentos passam de uma mente para outra, voluntariamente, seja esse fato reconhecido ou não pela pessoa que os libera ou pelas pessoas que captam esses pensamentos.

21 de março

A pessoa que dá expressão, de boca em boca, a pensamentos negativos ou destrutivos tem a garantia, praticamente, de sentir os resultados dessas palavras na forma de uma "reação" destrutiva. A simples liberação de impulsos de pensamento destrutivos, sem o auxílio de palavras, também produz uma "reação" de várias maneiras. Em primeiro lugar, e talvez o mais importante a ser lembrado, a pessoa que libera pensamentos de natureza destrutiva sofre danos pela quebra da faculdade da imaginação criativa. Em segundo lugar, a presença de qualquer emoção destrutiva na mente desenvolve uma personalidade negativa que repele as pessoas e muitas vezes as converte em adversárias. A terceira causa de dano para a pessoa que mantém ou libera pensamentos negativos reside neste fato significativo: esses impulsos de pensamento não são prejudiciais apenas para os outros, mas se enraízam na mente subconsciente da pessoa que os emite e lá tornam-se parte de sua personalidade.

22 de março

Nunca se elimina um pensamento apenas por liberá-lo. Quando um pensamento é liberado, ele se espalha em todas as direções, pelo éter, mas também se planta *permanentemente* no subconsciente da *pessoa que o libera*.

Seu propósito na vida é, presumivelmente, alcançar o sucesso. Para ter sucesso, você deve encontrar paz de espírito, atender às necessidades materiais da vida e, acima de tudo, alcançar a felicidade. Todas essas evidências de sucesso começam na forma de impulsos de pensamento.

23 de março

Você pode controlar a mente; você tem o poder de alimentá-la com qualquer impulso de pensamento que escolher. Com esse privilégio vem também a responsabilidade de usá-lo de forma construtiva. Você é o mestre de seu destino na terra, na mesma medida em que tem o poder de controlar os próprios pensamentos. Você pode influenciar, dirigir e, em algum momento, controlar seu ambiente – tornando a vida o que deseja que ela seja –, ou pode negligenciar o exercício do privilégio de colocar sua vida em ordem, lançando-se assim, no vasto mar das "circunstâncias", onde será jogado de um lado para o outro, como um graveto de madeira nas ondas do mar.

24 de março

O princípio da psicologia, por meio do qual você pode gravar o seu objetivo principal definido na mente subconsciente, é chamado de autossugestão – uma sugestão que você repete a si mesmo. É um certo grau de auto-hipnose, mas não tenha medo, pois foi com a ajuda desse mesmo princípio que Napoleão ascendeu da mais baixa e miserável posição de corsário para a de ditador da França. Foi com a ajuda desse mesmo princípio que Thomas Edison progrediu do início como humilde jornaleiro até ser aceito como o principal inventor do mundo. Você não precisa temer o princípio da autossugestão, desde que tenha certeza de que o objetivo pelo qual está lutando vai lhe trazer felicidade de natureza duradoura. Tenha certeza de que seu objetivo definido é construtivo, que sua realização não traz sofrimento e miséria a ninguém; que vai trazer a você paz e prosperidade; então aplique, até o limite de sua compreensão, o princípio da autossugestão para a rápida conquista desse objetivo.

25 de março

A mente subconsciente pode ser comparada a um ímã, e quando é vitalizada e totalmente impregnada com qualquer objetivo definido, tem uma forte tendência a atrair tudo que é necessário para o cumprimento desse objetivo. Semelhante atrai semelhante, e você pode ver evidências dessa lei em cada folha de grama e em cada árvore que cresce. A bolota atrai do solo e do ar os materiais necessários para o crescimento de um carvalho. Nunca cresce uma árvore que é parte carvalho e parte álamo.

E os homens também estão sujeitos a essa mesma Lei da Atração. Vá a qualquer bairro de moradias populares em qualquer cidade, e lá você encontrará reunidas pessoas com a mesma tendência geral de pensamento. Por outro lado, entre em qualquer comunidade próspera e lá encontrará reunidas pessoas com as mesmas tendências gerais. Homens bem-sucedidos sempre buscam a companhia de outros bem-sucedidos, enquanto homens que estão do lado ruim da vida sempre buscam a companhia daqueles que estão em circunstâncias semelhantes. "A miséria adora companhia."

26 de março

Você atrai pessoas que se harmonizam com sua filosofia de vida, querendo ou não. Sendo assim, não consegue ver a importância de energizar sua mente com um objetivo principal definido que atrairá pessoas que serão uma ajuda para você, e não um obstáculo? Suponha que seu objetivo principal definido esteja muito acima de sua posição atual na vida. O que é que tem? É seu direito – ou melhor, seu DEVER – almejar alto na vida. Você deve a si mesmo e à comunidade em que vive estabelecer um padrão elevado para sua vida.

Há muita evidência para justificar a crença de que nada nos limites do razoável está além da possibilidade de realização pelo homem cujo objetivo principal definido foi bem desenvolvido.

27 de março

Nenhum ambiente indesejável é suficientemente forte para reter o homem ou a mulher que sabe aplicar o princípio da autossugestão na criação de um objetivo principal definido. Essa pessoa pode se livrar dos grilhões da pobreza; destruir os germes das doenças mais mortais; subir de uma posição humilde na vida para outra de poder e abundância.

Todos os grandes líderes baseiam sua liderança em um objetivo principal definido. Os liderados são seguidores dispostos quando sabem que seu líder é uma pessoa com um objetivo principal definido, que tem a coragem de respaldar esse objetivo com ação. Até um cavalo teimoso sabe quando um condutor com um objetivo principal definido segura as rédeas e cede a esse condutor. Quando um homem com um objetivo principal definido surge no meio de uma multidão, todos se afastam e abrem caminho para ele, mas, se um homem hesita e mostra com suas atitudes que não tem certeza de qual caminho deseja seguir, a multidão se recusa a sair de seu caminho um centímetro que seja.

28 de março

A ciência comprovou, sem margem para dúvidas, que pelo princípio da autossugestão qualquer desejo profundamente enraizado impregna todo o corpo e a mente com a natureza do desejo e literalmente transforma a mente em um poderoso ímã que atrairá o objeto desejado, se ele estiver dentro do limite do razoável. Por exemplo, apenas desejar um automóvel não o fará aparecer, mas se houver um desejo ardente por um automóvel, esse desejo levará à ação apropriada pela qual se pode comprar um automóvel.

O simples desejo de liberdade nunca libertaria um homem preso, se não fosse forte o suficiente para levá-lo a fazer alguma coisa para merecer a liberdade.

Essas são as etapas que conduzem do desejo à realização: primeiro o desejo ardente, depois a cristalização desse desejo em um objetivo definido, então ação apropriada e suficiente para atingir esse propósito. Lembre-se de que essas três etapas são sempre necessárias para garantir o sucesso.

29 de março

A falta de necessidade de lutar não só leva ao enfraquecimento da ambição e da força de vontade, mas, o que é ainda mais perigoso, estabelece na mente um estado de letargia que leva à perda da autoconfiança. A pessoa que parou de lutar porque o esforço não é mais necessário está literalmente aplicando o princípio da autossugestão para minar o seu poder de autoconfiança. Essa pessoa acabará caindo em um estado de espírito em que realmente olhará com um certo desprezo para quem é forçado a continuar lutando.

A mente humana, se me perdoam pela repetição, pode ser comparada a uma bateria elétrica: pode ser positiva ou negativa. A autoconfiança é a qualidade com a qual a mente é recarregada e se torna positiva.

30 de março

Você aprendeu que qualquer ideia fixa com firmeza na mente subconsciente por meio de afirmações repetidas torna-se automaticamente um plano ou projeto que um poder invisível usa para direcionar seus esforços para a conquista do objetivo mencionado no plano.

Você também aprendeu que o princípio pelo qual pode fixar qualquer ideia escolhida na mente é chamado de autossugestão, que significa simplesmente uma sugestão dada à própria mente. Era esse o princípio de autossugestão que Emerson tinha em mente quando escreveu: "Nada pode lhe trazer paz, exceto você mesmo!".

Você deve se lembrar de que *nada* pode lhe trazer o sucesso, exceto você mesmo. É claro que vai precisar da cooperação de outras pessoas, se a intenção é obter sucesso em longo prazo, mas nunca terá essa cooperação, a menos que energize a mente com a atitude positiva da autoconfiança.

31 de março

O hábito surge do ambiente, de fazer a mesma coisa ou ter os mesmos pensamentos ou repetir as mesmas palavras continuamente. O hábito pode ser comparado ao sulco de um disco, enquanto a mente humana pode ser comparada à agulha que se encaixa nesse sulco.

Quando qualquer hábito é bem formado por meio da repetição de pensamento ou ação, a mente tende a se apegar e seguir o curso desse hábito com tanta fidelidade quanto a agulha da vitrola segue o sulco no disco de vinil.

O hábito é criado quando se direciona repetidamente um ou mais dos cinco sentidos – visão, audição, olfato, paladar e tato – para uma determinada direção.

ABRIL

O quarto passo para a riqueza

CONHECIMENTO ESPECIALIZADO

1º de abril

Existem dois tipos de conhecimento: um é geral, o outro é especializado. O conhecimento geral, não importa sua quantidade ou variedade, é de pouca utilidade na acumulação de dinheiro. O conhecimento não atrai dinheiro, a menos que seja organizado e dirigido de forma inteligente, por meio de planos de ação práticos para o fim definido de acumular dinheiro. A falta de compreensão desse fato tem sido fonte de confusão para milhões de pessoas que acreditam falsamente que "conhecimento é poder". Não é nada disso! Conhecimento é apenas poder em *potencial*. Ele torna-se poder apenas quando, e se, for organizado em planos de ação definidos e direcionados para um fim definido.

2 de abril

Um homem educado não é necessariamente aquele que tem muito conhecimento geral ou especializado. Um homem educado é aquele que desenvolveu tanto as faculdades mentais que pode adquirir qualquer coisa que quiser, ou seu equivalente, sem violar os direitos de outras pessoas.

3 de abril

Antes de ter certeza de sua capacidade de transmutar o desejo em seu equivalente monetário, você vai precisar de conhecimento especializado do serviço, mercadoria ou profissão que pretende oferecer em troca de fortuna. Talvez precise de um conhecimento muito mais especializado do que tem capacidade ou inclinação para adquirir e, nesse caso, você pode superar seu ponto fraco com a ajuda de seu grupo MasterMind.

4 de abril

Os homens, às vezes, passam a vida sofrendo com complexo de inferioridade por não serem "instruídos". O homem que pode organizar e dirigir um grupo MasterMind de indivíduos cujo conhecimento é útil na acumulação de dinheiro é tão instruído quanto qualquer um desse grupo. Lembre-se disso se você sofre de algum sentimento de inferioridade porque teve escolaridade limitada.

5 de abril

O conhecimento especializado está entre as formas de serviço mais abundantes e baratas que se pode obter!

Em primeiro lugar, decida o tipo de conhecimento especializado de que precisa e a finalidade para a qual ele é necessário. Em grande parte, seu objetivo principal na vida, a meta para a qual você está trabalhando, ajudará a determinar o conhecimento de que precisa. Com essa questão resolvida, seu próximo passo requer que você tenha informações precisas sobre fontes confiáveis de conhecimento. As mais importantes são:

- **a.** A própria experiência e educação.
- **b.** Experiência e educação disponíveis por meio da cooperação de outras pessoas (Aliança MasterMind).
- **c.** Faculdades e universidades.
- **d.** Bibliotecas públicas (em livros e periódicos nos quais se encontra todo o conhecimento organizado pela civilização).
- **e.** Cursos especiais de treinamento (escolas noturnas e ensino à distância, em particular).

6 de abril

À medida que o conhecimento é adquirido, ele deve ser organizado e posto em prática, para um objetivo definido, por meio de planos práticos. O conhecimento não tem valor, exceto aquele que pode ser obtido de sua aplicação para algum fim digno. Esta é uma das razões pelas quais os diplomas universitários não são mais valorizados. Eles não representam nada mais que conhecimentos diversos.

Se você pensa em estudar mais, primeiro determine o propósito para o qual deseja obter o conhecimento que está buscando e, em seguida, aprenda onde esse tipo específico de conhecimento pode ser obtido de fontes confiáveis.

7 de abril

Homens de sucesso, em todas as vocações, nunca param de adquirir conhecimento especializado relacionado ao seu objetivo maior, negócio ou profissão. Aqueles que não são bem-sucedidos geralmente cometem o erro de acreditar que o período de aquisição de conhecimento acaba quando se termina a escola. A verdade é que a educação formal faz pouco mais do que ajudar a aprender como adquirir conhecimentos práticos.

8 de abril

Qualquer coisa adquirida sem esforço e sem custo geralmente não é apreciada, e muitas vezes é desacreditada; talvez seja por isso que aproveitamos tão pouco a maravilhosa oportunidade que temos nas escolas públicas. A autodisciplina que se aprende com um programa definido de estudo especializado compensa, até certo ponto, a oportunidade desperdiçada quando o conhecimento estava disponível gratuitamente.

9 de abril

Existe um ponto fraco nas pessoas para o qual não há remédio. É a fraqueza universal da falta de ambição! Pessoas, especialmente as assalariadas, que programam seu tempo livre para estudar em casa, raramente permanecem em posições inferiores por muito tempo. Sua ação abre caminho para a ascensão, remove muitos obstáculos do caminho e conquista o interesse amigável daqueles que têm o poder de colocá-las no caminho da oportunidade.

O método de estudo em casa é especialmente adequado às necessidades de pessoas empregadas que descobrem, depois de deixar a escola, que precisam adquirir conhecimentos especializados adicionais, mas não dispõem de tempo para voltar à escola.

10 de abril

Quando um comerciante descobre que determinada linha de produtos não está vendendo, geralmente a substitui por outra para a qual há demanda. A pessoa cujo negócio é a prestação de serviços também precisa ser um comerciante eficiente. Se seus serviços não trazem retorno adequado em uma área, ele deve mudar para outra, em que oportunidades mais amplas estão disponíveis.

11 de abril

A pessoa que para de estudar apenas porque concluiu o tempo de escola está para sempre e irremediavelmente condenada à mediocridade, não importa qual seja sua vocação. O caminho do sucesso é a busca contínua de conhecimento.

12 de abril

A ideia de começar de baixo e trabalhar para progredir pode parecer sólida, mas a principal objeção a ela é que muitos que começam de baixo nunca conseguem subir o suficiente para obter uma oportunidade, e permanecem embaixo. É preciso lembrar também que o ponto de vista de quem está embaixo não é muito brilhante ou animador. Costuma matar a ambição. Chamamos isso de "cair na rotina", o que significa que aceitamos nosso destino porque adquirimos o hábito da rotina diária, que por fim se torna tão forte que deixamos de tentar eliminá-lo. E essa é outra razão pela qual vale a pena começar um ou dois degraus acima do patamar mais inferior. Assim, forma-se o hábito de olhar em volta, de observar como os outros avançam, de ver a oportunidade e abraçá-la sem hesitar.

13 de abril

Um dos pontos principais que tento enfatizar em toda essa filosofia é que ou progredimos para posições elevadas ou continuamos embaixo por causa de condições que podemos controlar, se quisermos. Lá embaixo é um lugar monótono, sombrio e inútil para qualquer pessoa.

Também estou tentando enfatizar outro ponto, a saber, que tanto o sucesso quanto o fracasso são, em grande parte, resultados do hábito!

14 de abril

Não há preço fixo para boas ideias!

Por trás de todas as ideias está o conhecimento especializado. Infelizmente, para quem não encontra riquezas em abundância, o conhecimento especializado é mais abundante e mais fácil de adquirir do que ideias. Por isso mesmo, existe uma demanda universal e uma oportunidade cada vez maior para quem é capaz de ajudar homens e mulheres a vender de maneira vantajosa seus serviços pessoais. Capacidade significa imaginação, a única qualidade necessária para combinar conhecimento especializado e ideias na forma de planos organizados projetados para produzir riquezas.

15 de abril

Uma forma muito comum e muito destrutiva de falta de autocontrole é o hábito de falar demais. Pessoas com sabedoria, que sabem o que querem e estão empenhadas em obtê-lo, têm cuidado ao falar. Não se ganha nada com um grande volume de informações não solicitadas, descontroladas e ditas sem propósito.

Quase sempre é mais proveitoso ouvir do que falar. Um bom ouvinte pode, de vez em quando, ouvir algo que contribua com seu estoque de conhecimento. É preciso ter autocontrole para se tornar um bom ouvinte, mas os benefícios compensam o esforço.

"Interromper a fala de outra pessoa" é uma forma comum de falta de autocontrole que, além de ser rude, priva o indivíduo de muitas oportunidades valiosas de aprender com os outros.

16 de abril

A vida em si é uma grande corrida de bigas, e a vitória só vai para aqueles que desenvolveram força de caráter, determinação e força de vontade para vencer. O que importa é desenvolver essa força por meio do firme manejo do remo da embarcação, que devemos usar para que ela nos leve, finalmente, à vitória e à liberdade.

É uma lei invariável: a força cresce a partir da resistência. Se temos pena do pobre ferreiro que empunha um martelo pesado o dia todo, devemos também admirar o braço maravilhoso que ele desenvolve com a prática.

"Devido à constituição dual de todas as coisas, tanto no trabalho como na vida, não pode haver trapaça", diz Emerson. "O ladrão rouba a si mesmo. O vigarista engana a si mesmo. Pois o preço real do trabalho é conhecimento e virtude, dos quais a riqueza e o crédito são sinais. Os símbolos, como o papel-moeda, podem ser falsificados ou roubados, mas aquilo que eles representam – conhecimento e virtude –, não podem ser falsificados ou roubados."

17 de abril

Na busca de fatos, muitas vezes é necessário obtê-los na fonte única do conhecimento e da experiência alheia. Torna-se então necessário examinar cuidadosamente tanto a prova apresentada quanto a pessoa de quem ela procede, e quando a prova for de tal natureza que afete o interesse da testemunha que a está apresentando, deve ser examinada com muito mais cuidado, pois as testemunhas que têm interesse nas provas que apresentam frequentemente cedem à tentação de colori-las e distorcê-las para proteger seu interesse.

18 de abril

Se um homem critica outro, seus comentários devem ser aceitos – se a eles for dada alguma consideração –, pelo menos com uma pitada de cautela, pois é uma tendência comum os homens não verem nada de bom naqueles de quem não gostam. O homem que atingiu o grau de pensamento preciso que lhe permite falar do inimigo sem exagerar seus defeitos e sem minimizar suas virtudes é a exceção, e não a regra.

Alguns homens muito capazes ainda não superaram esse hábito vulgar e autodestrutivo de menosprezar inimigos, concorrentes e contemporâneos. Desejo chamar atenção para essa tendência comum com toda a ênfase possível, porque é uma tendência fatal para o pensamento preciso.

19 de abril

Gostaria de chamar sua atenção novamente para quatro fatores principais e pedir que você se familiarize com eles. Eles são: Autossugestão, Mente Subconsciente, Pensamento Criativo e Inteligência Infinita.

Estes são os quatro caminhos pelos quais você deve seguir em sua busca de conhecimento. Observe que você controla três deles. Observe também – e isso é especialmente enfatizado – que da maneira como você percorre esses três caminhos dependerá o tempo e o local em que eles convergirão para o quarto fator: a Inteligência Infinita.

20 de abril

Devemos ter em mente que todo sucesso é baseado no poder, e o poder cresce a partir do conhecimento que foi organizado e expresso em termos de AÇÃO.

O mundo só paga por um tipo de conhecimento, e é aquele que se expressa em termos de serviço construtivo.

21 de abril

Quando comecei a buscar conhecimento nesta e naquela direção, minha mente começou a se desdobrar e ampliar com uma rapidez tão alarmante que achei necessário praticamente apagar o conhecimento que eu acreditava ter acumulado previamente e desaprender muito do que anteriormente acreditava ser verdade.

Compreenda o significado do que acabei de declarar!

22 de abril

A TOLERÂNCIA vai ensiná-lo a evitar os efeitos desastrosos dos preconceitos raciais e religiosos que significam a derrota para milhões de pessoas que se deixam envolver em discussões tolas sobre esses assuntos, envenenando, assim, a própria mente e fechando a porta para a razão e a investigação. Esta lição é irmã gêmea daquela sobre PENSAMENTO PRECISO, porque ninguém pode se tornar um pensador preciso sem praticar a tolerância. A intolerância fecha o livro do conhecimento e escreve na capa "Fim! Eu aprendi tudo!". A intolerância transforma em inimigos aqueles que deveriam ser amigos. Destrói a oportunidade e preenche a mente com dúvida, desconfiança e preconceito.

23 de abril

Praticar a Regra de Ouro o ensinará a fazer uso dessa grande lei universal da conduta humana, de forma que você possa obter com facilidade a cooperação harmoniosa de qualquer indivíduo ou grupo de indivíduos. A falta de compreensão da lei na qual se baseia a filosofia da Regra de Ouro é uma das principais causas do fracasso de milhões de pessoas que permanecem na miséria, na pobreza e na necessidade por toda a vida. Esta lição não tem absolutamente nada a ver com qualquer forma de religião, nem com o sectarismo, nem com qualquer das outras lições deste curso sobre a Lei do Sucesso.

24 de abril

O PODER é um dos três objetivos básicos do esforço humano.

Existem dois tipos de PODER: aquele que é desenvolvido pela coordenação das leis físicas naturais e aquele que é desenvolvido pela organização e classificação do CONHECIMENTO.

O PODER que cresce a partir do conhecimento organizado é o mais importante, porque dá ao homem uma ferramenta com a qual ele pode transformar, redirecionar e, até certo ponto, aproveitar e usar a outra forma de poder.

O objetivo deste livro é marcar o caminho pelo qual o leitor pode seguir com segurança enquanto reúne os fatos que pode desejar inserir em sua estrutura de CONHECIMENTO.

Existem dois métodos principais para obter conhecimento, que são estudar, classificar e assimilar fatos que foram organizados por outras pessoas, e o próprio processo de coleta, organização e classificação de fatos, geralmente chamado de "experiência pessoal".

25 de abril

O estado de avanço conhecido como "civilização" é apenas a medida do conhecimento acumulado pela raça. Esse conhecimento pertence a duas categorias: mental e físico. Entre o conhecimento útil organizado pelo homem, ele descobriu e catalogou os oitenta e tantos elementos físicos que constituem todas as formas materiais do Universo. Por meio de estudo, análise e medições precisas, o homem descobriu a "grandeza" do lado material do Universo representado por planetas, sóis e estrelas, alguns dos quais conhecidos por serem mais de dez milhões de vezes maiores que o pequeno planeta em que vivemos.

Por outro lado, o homem descobriu a "pequenez" das formas físicas que constituem o Universo ao reduzir os oitenta e tantos elementos físicos a moléculas, átomos e, finalmente, à menor partícula, o elétron. Um elétron não pode ser visto; é apenas um centro de força que consiste em um positivo ou um negativo. O elétron é o começo de tudo que é de natureza física.

26 de abril

Para entender tanto o detalhe quanto a perspectiva do processo pelo qual o conhecimento é reunido, organizado e classificado, parece essencial começar pelas menores e mais simples partículas da matéria física, porque são o ABC com o qual a Natureza construiu toda a estrutura da porção física do Universo.

A molécula consiste em átomos – pequenas partículas invisíveis de matéria girando continuamente com a velocidade da luz, exatamente com o mesmo princípio pelo qual a Terra gira em torno do Sol. Esses átomos, que giram em um circuito contínuo na molécula, são compostos de elétrons, as menores partículas da matéria física. O elétron é uniforme, portanto, todo o princípio sobre o qual o Universo opera é reproduzido em um grão de areia ou em uma gota d'água.

Que maravilha! Que estupendo! Você pode ter uma pequena ideia da magnitude disso tudo na próxima vez que fizer uma refeição e lembrar que cada alimento que você come, o prato em que você come, os talheres e a própria mesa são, em última análise, só uma junção de ELÉTRONS.

27 de abril

Ao falar da fonte de seu grande armazém de conhecimento, Thomas Paine assim o descreveu:

"Qualquer pessoa que faça observações sobre o estado do progresso da mente humana observando a própria mente, não pode deixar de notar que existem duas classes distintas do que chamamos de pensamentos: aqueles que produzimos em nós mesmos pela reflexão e pelo ato de pensar, e aqueles que se precipitam na mente por conta própria. Sempre estabeleci como regra tratar esses visitantes voluntários com civilidade, tendo o cuidado de examinar, da melhor maneira possível, se valia a pena entretê-los; e foi deles que adquiri quase todo o conhecimento que possuo. Quanto ao aprendizado que qualquer pessoa obtém da educação escolar, serve apenas como um pequeno capital que coloca a pessoa no caminho de começar a aprender por conta própria depois. Cada pessoa instruída é finalmente seu próprio professor, e a razão disso é que os princípios não podem ser impressos na memória; seu lugar de residência na mente é o entendimento, e eles nunca são tão duradouros como quando começam pela concepção".

28 de abril

A maior parte do conhecimento útil herdado pela raça humana foi preservada e registrada com precisão na bíblia da Natureza. Ao voltar atrás nas páginas dessa bíblia inalterável, o homem leu a história da terrível luta pela qual a atual civilização se desenvolveu. As páginas dessa bíblia são feitas dos elementos físicos que compõem a Terra e os outros planetas, e do éter que preenche todo o espaço.

Ao virar as páginas escritas em pedra e encobertas pela superfície desta terra, o homem descobriu ossos, esqueletos, pegadas e outras evidências inconfundíveis da história da vida animal, plantadas ali para sua iluminação e orientação pela mão da Mãe Natureza ao longo do tempo. A evidência é clara e inconfundível. As grandes e infindáveis páginas de pedra da bíblia da Natureza encontradas nesta terra, onde todo pensamento humano do passado foi registrado, constituem uma autêntica fonte de comunicação entre o Criador e o homem. Essa bíblia foi iniciada antes que o homem tivesse alcançado o estágio de pensamento; na verdade, antes mesmo que o homem tivesse atingido o estágio de desenvolvimento da ameba (animal unicelular).

29 de abril

Toda mente, ou cérebro, está diretamente conectada com todas as outras por meio do éter. Cada pensamento liberado por qualquer mente pode ser instantaneamente captado e interpretado por todas as outras que estão "em contato" com a mente emissora. Este autor tem tanta certeza disso quanto de que a fórmula química H_2O produzirá água. Imagine, se puder, o papel que esse princípio desempenha em todas as esferas da vida.

30 de abril

*L*embre-se, o que vale é a IDEIA. O conhecimento especializado pode ser encontrado em qualquer esquina!

MAIO

O quinto passo para a riqueza

IMAGINAÇÃO

1º de maio

A imaginação é literalmente a oficina onde são moldados todos os planos criados pelo homem. O impulso, o desejo ganham forma e ação com a ajuda da faculdade imaginativa da mente. Dizem que o homem pode criar qualquer coisa que ele possa imaginar.

2 de maio

Com a ajuda de sua faculdade imaginativa, o homem descobriu e dominou mais forças da Natureza durante os últimos cinquenta anos do que durante toda a história da humanidade anterior a esse período.

A única limitação do homem, dentro do razoável, reside no desenvolvimento e uso de sua imaginação. Ele ainda não atingiu o ápice do desenvolvimento do uso da faculdade imaginativa; apenas descobriu que tem imaginação e começou a usá-la de maneira muito elementar.

3 de maio

A faculdade imaginativa funciona de duas formas: uma é conhecida como "imaginação sintética" e a outra como "imaginação criativa".

Por meio da faculdade da *imaginação sintética*, pode-se organizar velhos conceitos, ideias ou planos em novas combinações. Essa faculdade não *cria* nada, apenas trabalha com o material que recebe da experiência, educação e observação. É a faculdade mais utilizada pelo inventor, com exceção do "gênio", que recorre à imaginação criativa quando não consegue resolver um problema pela imaginação sintética.

4 de maio

Por meio da faculdade da *imaginação criativa*, a mente finita do homem tem comunicação direta com a Inteligência Infinita. É a faculdade pela qual são recebidos "palpites" e "inspirações". É por essa faculdade que todas as ideias básicas ou novas são transmitidas ao homem. É por meio dessa faculdade que as vibrações de pensamento da mente de outras pessoas são recebidas. É por meio dessa faculdade que um indivíduo pode "sintonizar" ou se comunicar com a mente subconsciente de outros homens.

5 de maio

A imaginação criativa funciona automaticamente. Mas essa faculdade funciona apenas quando a mente consciente está vibrando em um ritmo excessivamente rápido, como, por exemplo, quando é estimulada pela emoção de um *forte desejo*.

A faculdade criativa torna-se mais alerta, mais receptiva às vibrações das fontes mencionadas na proporção de seu desenvolvimento pelo uso. Esta afirmação é significativa! Reflita sobre isso antes de seguir em frente.

6 de maio

Os grandes líderes de negócios, indústrias e finanças, e os grandes artistas, músicos, poetas e escritores tornaram-se grandes porque desenvolveram a faculdade da imaginação criativa.

Tanto as faculdades sintéticas quanto as criativas da imaginação ficam mais alertas com o uso, assim como qualquer músculo ou órgão do corpo se desenvolve pelo uso.

7 de maio

O desejo é apenas um pensamento, um impulso. É nebuloso e efêmero. É abstrato e sem valor, até que seja transformado em seu equivalente físico. Embora a imaginação sintética seja utilizada com mais frequência no processo de transformação do impulso do desejo em dinheiro, você deve ter em mente que poderá enfrentar circunstâncias e situações que também vão exigir o uso da imaginação criativa.

Sua faculdade imaginativa pode ter se tornado fraca devido à inação. Ela pode ser revivida e aguçada por meio do uso. Essa faculdade não morre, embora possa se tornar adormecida por falta de uso.

8 de maio

Concentre a atenção, por enquanto, no desenvolvimento da imaginação sintética, porque esta é a faculdade que você usará com mais frequência no processo de conversão do desejo em dinheiro. A transformação do impulso intangível, do desejo, na realidade tangível do dinheiro requer o uso de um plano ou planos. Esses planos devem ser formados com o auxílio da imaginação e, principalmente, com a faculdade sintética.

Comece imediatamente a colocar a imaginação para trabalhar na construção de um plano ou planos para a transformação de seu desejo em dinheiro. Escreva seu plano, caso ainda não tenha feito isso. No momento em que cumprir essa tarefa, você terá dado forma concreta ao desejo intangível. Leia a frase anterior mais uma vez. Leia em voz alta bem devagar e, enquanto isso, lembre-se de que, no momento em que colocar no papel a declaração de seu desejo e um plano para sua realização, você realmente terá dado o primeiro de uma série de passos que lhe permitirão converter o pensamento em seu equivalente físico.

9 de maio

Você, a terra em que você vive e todas as outras coisas materiais são resultado de uma mudança evolutiva pela qual partículas microscópicas de matéria foram organizadas e arranjadas de um jeito ordenado.

Além disso – e esta afirmação é de importância estupenda –, essa terra – cada uma dos bilhões de células individuais de seu corpo e cada átomo de matéria – *começou como uma forma intangível de energia.*

10 de maio

Desejo é impulso de pensamento! Impulsos de pensamento são formas de energia. Quando você começa com o impulso de pensamento, ou desejo, para acumular dinheiro, está recrutando a seu serviço a mesma "coisa" que a Natureza usou para criar esta terra e cada forma material no Universo, inclusive o corpo e o cérebro em que os impulsos de pensamento funcionam.

11 de maio

Até onde a ciência foi capaz de determinar, todo o Universo consiste em apenas dois elementos – matéria e energia. Pela combinação de energia e matéria foi criado tudo que é perceptível ao homem, desde a maior estrela que flutua no céu até, e inclusive, o próprio homem.

Você está agora comprometido com a tarefa de tentar lucrar com o método da mãe Natureza. Está tentando (esperamos que com sinceridade e dedicação) adaptar-se às leis da Natureza, procurando converter desejo em seu equivalente físico ou monetário. Você é capaz disso! Já foi feito antes!

12 de maio

Você pode construir uma fortuna com a ajuda de leis imutáveis. Mas, antes, precisa conhecer essas leis e aprender a usá-las.

Pela repetição, e abordando a descrição desses princípios por todo ângulo concebível, o autor espera revelar o segredo pelo qual toda grande fortuna foi acumulada.

13 de maio

Deus parece colocar-Se ao lado do homem que sabe *exatamente o que quer, se ele estiver determinado* a conseguir exatamente isso!

Se você é um dos que acreditam que só trabalho árduo e honestidade trazem riqueza, esqueça! Isso não é verdade! Riqueza, quando chega em abundância, nunca é resultado de trabalho árduo! A riqueza vem, se ela vier, em resposta a demandas definidas baseadas na aplicação de princípios definidos, e não por acaso ou sorte.

14 de maio

De maneira geral, uma ideia é um impulso de pensamento que induz a ação por um apelo à imaginação. Todo mestre em vendas sabe que ideias podem ser vendidas, quando não é possível vender mercadorias. Vendedores comuns não sabem disso – por isso são "comuns".

15 de maio

Milhões de pessoas passam pela vida esperando "momentos" favoráveis. Talvez um momento favorável possa trazer uma oportunidade, mas o plano mais certo é não depender da sorte. Foi um "momento" favorável que me deu a maior oportunidade que tive na vida, *mas* vinte e cinco anos de *esforço determinado* foram dedicados a essa oportunidade, antes que ela se tornasse uma conquista valiosa.

O "momento" foi minha boa sorte de conhecer e conquistar a cooperação de Andrew Carnegie. Naquela ocasião, Carnegie plantou em minha mente a ideia de organizar os princípios da realização em uma filosofia de sucesso. Milhares de pessoas lucraram com as descobertas feitas nesses 25 anos de pesquisa, e várias fortunas foram acumuladas pela aplicação dessa filosofia. O começo foi simples. Foi uma ideia que qualquer um poderia ter desenvolvido.

O momento favorável surgiu por meio de Carnegie, mas e a determinação, a definição de objetivo e o desejo de alcançá-lo, e o esforço persistente de vinte e cinco anos? Não foi um desejo comum que sobreviveu à decepção, ao desânimo, à derrota temporária, à crítica e ao constante lembrete da "perda de tempo". Foi um desejo ardente! Uma obsessão!

16 de maio

Quando a ideia foi plantada em minha mente pelo Sr. Carnegie, ela foi incentivada, nutrida e provocada para *permanecer viva*. Aos poucos, a ideia se tornou um gigante com força própria, e ela me incentivou, nutriu e provocou. Ideias são assim. Primeiro você dá vida, ação e direção às ideias, depois elas desenvolvem um poder próprio e afastam toda oposição.

17 de maio

Ideias são forças intangíveis, mas têm mais poder que o cérebro que as traz ao mundo. Elas têm o poder de viver mesmo depois que o cérebro que as criou voltar ao pó. Por exemplo, veja o poder do Cristianismo. Começou com uma ideia simples nascida no cérebro de Cristo. Seu principal mandamento era: "Faça aos outros o que gostaria que fizessem a você". Cristo voltou à origem de onde Ele veio, mas Sua ideia segue adiante. Algum dia ela pode crescer e ganhar vida própria; então, terá realizado o mais profundo desejo de Cristo. A ideia está se desenvolvendo há dois mil anos, apenas. Dê um tempo para ela!

18 de maio

A IMAGINAÇÃO estimula a mente de modo que você conceba novas ideias e desenvolva novos planos que o ajudarão a conquistar o seu Objetivo Principal Definido. Ela o ensina a "construir novas casas com pedras velhas", por assim dizer. Mostrará como criar novas ideias a partir de conceitos antigos e bem conhecidos e como dar novos usos a ideias antigas. Esta única lição, por si só, é o equivalente a um curso muito prático de vendas, e com certeza se revelará uma verdadeira mina de ouro de conhecimento para a pessoa que a levar a sério.

19 de maio

A formação do Hábito de Economizar não significa que você deve limitar sua capacidade de ganho; significa exatamente o contrário – que você deve aplicar esta lei não apenas para conservar o que ganha de maneira sistemática, mas também encontrar o caminho de maiores oportunidades e obter a visão, a autoconfiança, a imaginação, o entusiasmo, a iniciativa e a liderança para realmente aumentar sua capacidade de ganho.

Expressando esta grande lei de outra maneira, quando você entender completamente a Lei do Hábito, poderá garantir seu sucesso no grande jogo de ganhar dinheiro "jogando nas duas pontas contra o meio".

20 de maio

Todo líder faz uso da Lei do Objetivo Definido, da Lei da Autoconfiança e da Lei da Iniciativa e da Liderança. E se ele é um líder notável e bem-sucedido, também usa as leis da Imaginação, do Entusiasmo, do Autocontrole, da Personalidade Agradável, do Pensamento Preciso, da Concentração e da Tolerância. Sem o uso combinado de todas essas leis, ninguém pode se tornar um líder realmente grande. A omissão de uma única dessas leis diminui proporcionalmente o poder do líder.

21 de maio

O *sucesso*, não importa a concepção que se tenha do termo, é quase sempre uma questão da capacidade de fazer com que outras pessoas submetam suas próprias individualidades e sigam um líder. O líder que tem personalidade e imaginação para induzir liderados a aceitar seus planos e executá-los fielmente é sempre um líder capaz.

A Liderança e a Imaginação são tão aliadas e tão essenciais para o sucesso, que uma não pode ser aplicada com sucesso sem a outra. A Iniciativa é a força motriz que impulsiona o líder para a frente, mas a Imaginação é o espírito orientador que lhe diz o caminho a seguir.

22 de maio

Talvez uma das vantagens mais importantes da imaginação é que ela permite separar todos os problemas em partes e reagrupá-las em combinações mais favoráveis.

Já foi dito que todas as batalhas na guerra são vencidas ou perdidas não na linha de frente depois do início da batalha, mas antes disso, por meio da boa estratégia, ou da falta dela, usada pelos generais que planejam as batalhas.

O que vale para a guerra vale igualmente nos negócios e na maioria dos outros problemas que enfrentamos ao longo da vida. Ganhamos ou perdemos de acordo com a natureza dos planos que formulamos e executamos, o que enfatiza o valor das leis de Iniciativa e Liderança, Imaginação, Autoconfiança e Objetivo Principal Definido. Com o uso inteligente dessas quatro leis, pode-se construir planos para qualquer objetivo que não podem ser anulados por qualquer pessoa ou grupo de pessoas que não empreguem ou compreendam essas leis.

Não há como escapar da verdade aqui declarada!

23 de maio

ESFORÇO ORGANIZADO é o esforço dirigido de acordo com um plano concebido com a ajuda da Imaginação, guiado por um Objetivo Principal Definido e impulsionado pela Iniciativa e Autoconfiança. Essas leis se fundem em uma e se tornam um poder nas mãos de um líder. Sem a ajuda delas, a liderança eficaz é impossível.

24 de maio

Imaginação é a oficina da mente humana onde velhas ideias e fatos estabelecidos podem ser reagrupados em novas combinações e colocados em novos usos. O dicionário define *imaginação* da seguinte forma:

O ato do intelecto construtivo de agrupar os materiais do conhecimento ou pensamento em sistemas novos, originais e racionais; a faculdade construtiva ou criativa; abrange a imaginação poética, artística, filosófica, científica e ética.

O poder de representação da mente; a formação de imagens mentais, figuras ou representação mental de objetos ou ideias, particularmente de objetos de percepção sensorial e de raciocínio matemático! Também a reprodução e combinação, geralmente com modificação mais ou menos irracional ou anormal, das imagens ou ideias da memória ou fatos de experiência relembrados.

25 de maio

A imaginação tem sido chamada de poder criativo da alma, mas isso é um tanto abstrato e mais profundo que o necessário do ponto de vista de um estudante deste curso, que deseja usá-lo apenas como um meio de obter vantagens materiais ou monetárias na vida.

Se você dominou e compreendeu completamente as lições anteriores deste livro, sabe que os materiais com os quais construiu seu objetivo principal definido foram reunidos e combinados em sua imaginação. Você também sabe que a autoconfiança, a iniciativa e a liderança devem ser criadas em sua imaginação antes que possam se tornar realidade, pois é na oficina da imaginação que você põe em prática o princípio da autossugestão na criação dessas qualidades necessárias.

26 de maio

Você nunca terá um objetivo definido na vida, nunca terá autoconfiança, nunca terá iniciativa e liderança, a menos que antes crie essas qualidades em sua imaginação e se veja em posse delas.

Assim como o carvalho se desenvolve a partir do germe que está na bolota, e o pássaro se desenvolve a partir do germe que está adormecido no ovo, suas realizações materiais crescerão a partir dos planos organizados que você cria na imaginação. Primeiro vem o pensamento, depois a organização desse pensamento em ideias e planos, depois a transformação desses planos em realidade. O começo, como você vai observar, está na imaginação.

27 de maio

A imaginação é interpretativa e criativa por natureza. Pode examinar fatos, conceitos e ideias, e pode criar novas combinações e planos a partir deles.

Por meio de sua capacidade interpretativa, a imaginação tem um poder que geralmente não lhe é atribuído, que é o poder de registrar vibrações e ondas de pensamento que são colocadas em movimento por fontes externas, assim como o aparelho receptor de rádio capta as vibrações do som. O princípio pelo qual funciona essa capacidade interpretativa da imaginação é chamado de telepatia, a comunicação do pensamento de uma mente para outra, em distâncias longas ou curtas, sem o auxílio de aparelhos físicos ou mecânicos.

28 de maio

Muitas vezes, a imaginação é considerada apenas como algo indefinido, indetectável e indescritível que não faz nada além de criar devaneios. É essa popular falta de consideração dos poderes da imaginação que tornou necessárias essas referências mais ou menos abstratas a um dos assuntos mais importantes deste curso. O tema da imaginação não é apenas um fator importante, mas é um dos assuntos mais interessantes, como você vai observar quando começar a ver como isso afeta tudo o que faz para alcançar seu Objetivo Principal Definido.

29 de maio

Você verá como o assunto da imaginação é importante quando parar para notar que ela é a única coisa no mundo sobre a qual você tem controle absoluto. Outros podem privá-lo de sua riqueza material e enganá-lo de mil maneiras, mas nenhum homem pode privá-lo do controle e do uso de sua imaginação. Os homens podem lidar com você injustamente, como costumam fazer; podem privá-lo de sua liberdade, mas não podem tirar de você o privilégio de usar sua imaginação como quiser.

30 de maio

O maior problema no mundo hoje reside na falta de compreensão do poder da imaginação, pois, se entendêssemos esse grande poder, poderíamos usá-lo como uma arma para acabar com a pobreza, a miséria, a injustiça e a perseguição, e isso poderia ser feito em uma única geração.

31 de maio

O sucesso não requer explicações; o fracasso não permite álibis.

JUNHO

O sexto passo para a riqueza

PLANEJAMENTO ORGANIZADO

1º de junho

Como arquitetar planos que serão práticos:

a. Alie-se a um grupo de pessoas – quantas forem necessárias – para a criação e execução de seu plano, ou planos, para acumular dinheiro – fazendo uso do princípio MasterMind. (Cumprir esta instrução é *absolutamente essencial*. Não a negligencie.)

b. Antes de formar sua aliança MasterMind, decida quais vantagens e benefícios *você* pode oferecer aos membros de seu grupo em troca de cooperação. Ninguém vai trabalhar indefinidamente sem alguma forma de compensação. Nenhuma pessoa inteligente vai solicitar ou esperar que outra trabalhe sem compensação adequada, embora nem sempre seja na forma de dinheiro.

c. Organize-se para se reunir com os membros do seu grupo MasterMind pelo menos duas vezes por semana e, se possível, com mais frequência, até que tenham aperfeiçoado juntos o plano ou planos necessários para a acumulação de dinheiro.

d. Mantenha uma harmonia perfeita entre você e todos os membros de seu grupo MasterMind. Se deixar de cumprir esta instrução ao pé da letra, pode esperar o fracasso. O princípio MasterMind *não pode* ser alcançado onde a perfeita harmonia não prevalece.

2 de junho

Tenha em mente estes fatos:
Primeiro, você está envolvido em um empreendimento de grande importância para você. Para ter certeza do sucesso, precisa ter planos impecáveis.

Segundo, você deve ter a vantagem da experiência, da formação, da habilidade natural e da imaginação de outras mentes. Isso harmoniza com os métodos seguidos por toda pessoa que acumulou uma grande fortuna.

3 de junho

Quando você começar a selecionar os membros para seu grupo MasterMind, procure escolher aqueles que não consideram a derrota.

Nenhum indivíduo tem experiência, formação, habilidade natural e conhecimento suficientes para garantir o acúmulo de uma grande fortuna sem a cooperação de outras pessoas. Cada plano que você adota em seu esforço para acumular riqueza deve ser uma criação conjunta sua e de todos os outros membros de seu grupo MasterMind. Você pode criar os próprios planos, no todo ou em parte, mas garanta que esses planos sejam verificados e aprovados pelos membros de sua aliança MasterMind.

4 de junho

Se o primeiro plano que você adotar não funcionar com sucesso, substitua-o por um novo plano; se esse novo plano não funcionar, substitua-o por outro, e assim por diante, até encontrar um plano que funcione. É exatamente aqui que a maioria dos homens fracassa, por falta de persistência em criar novos planos para substituir aqueles que falharam.

O homem mais inteligente não consegue acumular dinheiro – nem ter sucesso em qualquer outro empreendimento – sem planos práticos e viáveis. Lembre-se disso e de que, quando seus planos falharem, uma derrota temporária não é um fracasso permanente. Pode significar apenas que seus planos não eram bons. Crie outros planos. Comece tudo de novo.

5 de junho

Thomas Edison "falhou" dez mil vezes antes de aperfeiçoar a lâmpada elétrica incandescente. Isto é, ele se deparou com uma *derrota temporária* dez mil vezes antes que seus esforços fossem coroados de sucesso.

A derrota temporária deve significar apenas uma coisa: a certeza de que há algo errado com seu plano. Milhões de homens passam a vida na miséria e na pobreza, porque falta a eles um plano sólido para acumular uma fortuna.

Henry Ford acumulou uma fortuna, não por causa de sua mente superior, mas porque adotou e seguiu um plano que se mostrou bom. Mil homens poderiam ser apontados, cada um deles com uma formação melhor que a de Ford, mas cada um deles vive na pobreza porque não tem o plano certo para acumular dinheiro.

6 de junho

Suas conquistas não podem ser maiores do que seus planos. Isso pode parecer um axioma, mas é verdade.

Nenhum homem é derrotado até que desista – *em sua própria mente*.

Esse fato se repetirá muitas vezes, pois é muito fácil "pedir a conta" ao primeiro sinal de derrota.

James J. Hill sofreu uma derrota temporária quando tentou levantar o capital necessário para construir uma ferrovia do leste ao oeste, mas também transformou a derrota em vitória *por meio de novos planos*.

Henry Ford enfrentou uma derrota temporária não apenas no início de sua carreira na indústria automobilística, mas também depois de ter chegado ao topo. Criou novos planos e partiu rumo à vitória financeira.

Vemos homens que acumularam grandes fortunas, mas muitas vezes reconhecemos apenas seu triunfo, ignorando as derrotas temporárias que eles tiveram que superar antes de "chegar lá".

7 de junho

Nenhum seguidor desta filosofia pode esperar acumular uma fortuna sem experimentar uma "derrota temporária". Quando a derrota vier, aceite-a como um sinal de que seus planos não são bons, reconstrua esses planos e siga mais uma vez em direção ao seu objetivo cobiçado. Se desistir antes de alcançar o objetivo, você é um "desistente".

Um desistente nunca vence,
e um vencedor nunca desiste.

Escreva essa frase em um pedaço de papel em letras bem grandes e coloque-a onde possa vê-la todas as noites antes de dormir e todas as manhãs antes de ir trabalhar.

8 de junho

Algumas pessoas acreditam ingenuamente que só o dinheiro pode atrair dinheiro. Isso não é verdade! O desejo, transmutado em seu equivalente monetário por meio dos princípios aqui estabelecidos, é o agente pelo qual o dinheiro é "feito". O dinheiro, por si só, nada mais é que matéria inerte. Ele não pode se mover, pensar ou falar, mas pode "ouvir" quando um homem que o deseja o chama!

O planejamento inteligente é essencial para o sucesso em qualquer empreendimento destinado a acumular riquezas. Deve ser animador saber que praticamente todas as grandes fortunas começaram na forma de remuneração por serviços pessoais ou da venda de ideias. O que mais, exceto ideias e serviços pessoais, alguém que não possui bens teria para dar em troca de riquezas?

9 de junho

De maneira geral, existem dois tipos de pessoas no mundo: um tipo é conhecido como líder e o outro, como liderado. Decida desde o início se pretende se tornar um líder em sua vocação escolhida ou permanecer como um liderado. A diferença de remuneração é grande. O liderado não pode esperar a compensação a que um líder tem direito, embora muitos liderados cometam o erro de esperar esse pagamento.

Não é nenhuma vergonha ser um liderado. Por outro lado, não é nenhum mérito permanecer um liderado. A maioria dos grandes líderes começou na qualidade de liderado. Eles se tornaram grandes líderes porque eram liderados inteligentes. Com poucas exceções, o homem que não consegue seguir um líder com inteligência não pode se tornar um líder eficiente. O homem que pode seguir um líder com mais eficiência geralmente é o homem que se desenvolve mais depressa na liderança. Um liderado inteligente tem muitas vantagens, entre elas a oportunidade de adquirir conhecimentos de seu líder.

10 de junho

s fatores a seguir são importantes para a liderança:

1. Coragem inabalável baseada no conhecimento de si mesmo e de sua ocupação.
2. Autocontrole.
3. Um forte senso de justiça.
4. Definição de decisão.
5. Definição de planos.
6. O hábito de fazer mais do que é pago para fazer.
7. Uma personalidade agradável.
8. Simpatia e compreensão.
9. Domínio dos detalhes.
10. Disposição para assumir total responsabilidade.
11. Cooperação.

11 de junho

Existem duas formas de liderança. A primeira, e de longe a mais eficaz, é a liderança com o consentimento e a simpatia dos liderados. A segunda é a liderança pela força, sem o consentimento e a simpatia dos liderados. A história está repleta de evidências de que a liderança pela força não perdura. A queda e o desaparecimento de ditadores e reis são significativos. Isso significa que as pessoas não seguirão indefinidamente a liderança forçada.

Aqueles que pertencem à velha escola da liderança pela força devem buscar compreender o novo tipo de liderança (cooperação), ou serão rebaixados ao posto dos liderados. Não há outra saída para eles.

Liderança por consentimento dos liderados é a única que pode perdurar!

12 de junho

AS DEZ PRINCIPAIS CAUSAS DE FALHA NA LIDERANÇA

Chegamos agora aos principais erros dos líderes que falham, porque é tão essencial saber o que não fazer quanto saber o que fazer.

1 *Incapacidade de organizar detalhes.* A liderança eficiente requer habilidade para organizar e dominar os detalhes. Nenhum líder genuíno está "ocupado demais" para qualquer coisa que possa ser exigida dele em sua capacidade de líder. Quando um homem, seja ele um líder ou um liderado, admite que está "ocupado demais" para mudar seus planos, ou para dar atenção a qualquer emergência, admite sua ineficiência. O líder de sucesso deve ser senhor de todos os detalhes relacionados à sua posição. Isso significa, é claro, que ele deve adquirir o hábito de deixar os detalhes a cargo de colaboradores competentes.

13 de junho

AS DEZ PRINCIPAIS CAUSAS DE FALHA NA LIDERANÇA

(continuação)

2º *Má vontade para prestar um serviço humilde.* Os verdadeiros grandes líderes estão dispostos, quando a ocasião exige, a realizar qualquer tipo de trabalho que pediriam para outra pessoa fazer. "O maior dentre vós será o servo de todos" é uma verdade que todos os líderes capazes observam e respeitam.

14 de junho

AS 10 PRINCIPAIS CAUSAS DE FALHA NA LIDERANÇA

(continuação)

3.º *Expectativa de remuneração pelo que eles "sabem", e não pelo que eles* fazem *com o que sabem.* O mundo não paga aos homens por aquilo que eles "sabem". Paga pelo que eles FAZEM ou levam outras pessoas a fazer.

15 de junho

AS DEZ PRINCIPAIS CAUSAS DE FALHA NA LIDERANÇA

(continuação)

4. *Medo da concorrência dos liderados.* O líder que teme que um de seus liderados tome sua posição tem praticamente a certeza de que isso vai acontecer mais cedo ou mais tarde. O líder capaz treina os liderados a quem ele pode delegar, à vontade, qualquer detalhe de sua posição. Só assim um líder pode se multiplicar e se preparar para estar em muitos lugares e dar atenção a muitas coisas ao mesmo tempo. É uma verdade eterna que os homens recebem mais por sua capacidade de fazer outras pessoas realizarem do que poderiam ganhar por seus próprios esforços. Um líder eficiente pode, por meio de seu conhecimento, trabalho e magnetismo pessoal, aumentar muito a eficiência de outras pessoas e induzi-las a prestar um serviço maior e melhor do que poderiam prestar sem sua ajuda.

16 de junho

AS DEZ PRINCIPAIS CAUSAS DE FALHA NA LIDERANÇA

(continuação)

5. *Falta de imaginação.* Sem imaginação, o líder é incapaz de enfrentar emergências e criar planos para orientar seus seguidores com eficiência.

17 de junho

AS DEZ PRINCIPAIS CAUSAS DE FALHA NA LIDERANÇA

(continuação)

6. *Egoísmo.* O líder que reivindica todo o mérito pelo trabalho de seus liderados com certeza encontrará ressentimento. O líder realmente grande não reivindica nenhum mérito. Ele fica contente em ver as honras, quando existem, irem para seus liderados, porque sabe que a maioria dos homens trabalha mais por elogios e reconhecimento do que apenas por dinheiro.

18 de junho

AS DEZ PRINCIPAIS CAUSAS DE FALHA NA LIDERANÇA

(continuação)

7. *Intemperança.* Liderados não respeitam um líder imoderado. Além disso, a intemperança em qualquer uma de suas várias formas destrói a resistência e a vitalidade de todos os que se entregam a ela.

19 de junho

AS DEZ PRINCIPAIS CAUSAS DE FALHA NA LIDERANÇA

(continuação)

8. *Deslealdade.* Talvez devesse estar no topo da lista. O líder que não é leal à sua confiança e aos seus associados, aos que estão acima dele e aos que estão abaixo dele, não pode manter sua liderança por muito tempo. A deslealdade marca alguém como menos que o pó da terra e atrai para ele o desprezo que merece. A falta de lealdade é uma das principais causas de fracasso em todas as esferas da vida.

20 de junho

AS DEZ PRINCIPAIS CAUSAS DE FALHA NA LIDERANÇA

(continuação)

9. *Ênfase na "autoridade" da liderança.* O líder eficiente lidera incentivando, não tentando incutir medo nos liderados. O líder que tenta impressionar os liderados com sua "autoridade" enquadra-se na categoria de liderança pela força. Um líder de verdade não precisa anunciar esse fato, exceto pela conduta – sua simpatia, compreensão, justiça e uma demonstração de que conhece seu trabalho.

21 de junho

AS DEZ PRINCIPAIS CAUSAS DE FALHA NA LIDERANÇA

(continuação)

10. *Ênfase no título do cargo.* O líder competente não requer nenhum "título" para ter o respeito de seus liderados. O homem que enfatiza o título do seu cargo geralmente tem pouco mais a enfatizar. A porta do escritório do verdadeiro líder está aberta a todos que queiram entrar, e seu ambiente de trabalho é livre de formalidade ou ostentação.

Estas são as causas mais comuns de fracasso na liderança. Qualquer uma delas é suficiente para levar ao fracasso. Estude a lista com atenção, se você deseja a liderança, e tenha a certeza de se livrar desses defeitos.

22 de junho

Todo mundo gosta de fazer o tipo de trabalho para o qual é mais adequado. Um artista adora trabalhar com tintas, um artesão com as mãos, um escritor adora escrever. Aqueles com talentos menos definidos preferem certas áreas do comércio e da indústria. Se tem uma coisa que a América faz é oferecer uma gama completa de ocupações. Decida exatamente que tipo de trabalho você deseja. Se o trabalho ainda não existir, talvez você possa criá-lo.

Cada pessoa que começa ou "entra" no meio da escada o faz por meio de um planejamento deliberado e cuidadoso.

23 de junho

Homens e mulheres que oferecerão seus serviços de forma mais proveitosa no futuro devem reconhecer a mudança estupenda que ocorreu no relacionamento entre patrão e empregado.

No futuro, a Regra de Ouro, e não o "Reinado do Ouro", será o fator dominante na comercialização de mercadorias, bem como na prestação de serviços. A futura relação entre empregadores e empregados será mais uma parceria que consiste em:

    a. O empregador.
    b. O empregado.
    c. O público que eles atendem.

O verdadeiro patrão do futuro será o público. Isso deve ser lembrado por todas as pessoas que buscam vender a prestação de serviços de forma eficaz. A política de "que se dane o público" agora é ultrapassada. Foi suplantada pela política de "estamos ao seu dispor, senhor".

24 de junho

*C*ortesia e *serviço* são as palavras de ordem do merchandising hoje e se aplicam ainda mais diretamente à pessoa que comercializa a prestação de serviços do que ao empregador a quem ela serve, porque, em última análise, tanto o empregador quanto seu empregado são contratados pelo público que atendem. Se não oferecem um bom serviço, a consequência é a perda do privilégio de servir.

25 de junho

"O salário do pecado é a morte!" Muitos leram isso na Bíblia, mas poucos descobriram seu significado. Agora, e por vários anos, o mundo inteiro tem escutado à força um sermão que bem poderia ser chamado de "Tudo o que o homem semear, ele também colherá".

Nada tão amplo e eficaz quanto a Grande Depressão poderia ser "apenas uma coincidência". Por trás dela havia uma causa. Nada acontece sem uma causa. Em geral, a causa dessa crise pode ser atribuída diretamente ao hábito mundial de tentar colher sem semear.

Se existe um princípio de causa e efeito, que controla os negócios, as finanças e o transporte, esse mesmo princípio controla os indivíduos e determina sua situação econômica.

26 de junho

As causas para comercializar serviços de forma eficaz e permanente foram claramente descritas. A menos que essas causas sejam estudadas, analisadas, compreendidas e aplicadas, nenhum homem pode comercializar seus serviços de forma eficaz e permanente. Cada indivíduo deve saber vender os serviços que presta. A qualidade e a quantidade do serviço prestado, e a disposição com que é prestado, determinam em grande parte o preço e a duração do trabalho. Para comercializar os serviços prestados de forma eficaz (o que significa mercado permanente, a um preço satisfatório, em condições agradáveis), deve-se adotar e seguir a fórmula "QQD", o que significa que Qualidade mais Quantidade mais a Disposição adequada de cooperação equivalem a uma capacidade perfeita de venda de serviço. Lembre-se da fórmula QQD, mas faça mais – aplique-a como um hábito!

27 de junho

Vamos analisar a fórmula QQD para ter certeza de que entendemos exatamente o que ela significa.

1. A *qualidade* do serviço inclui a execução de todos os pormenores, no âmbito de sua função, da forma mais eficiente possível, tendo sempre em vista a maior eficiência.
2. A *quantidade* do serviço inclui o hábito de prestar todo o serviço de que é capaz, em todos os momentos, com o fim de aumentar a quantidade de serviço prestado à medida que se desenvolve maior habilidade pela prática e experiência. A ênfase é novamente posta na palavra *hábito*.
3. A *disposição* do serviço inclui o hábito de ter uma conduta agradável e harmoniosa que conquiste a cooperação de associados e colegas de trabalho.

A adequação da qualidade e da quantidade do serviço prestado não é suficiente para manter um mercado permanente para seus serviços. A conduta, ou a disposição com que você presta o serviço, é um forte fator determinante em relação à remuneração e à duração do trabalho.

28 de junho

A importância de uma personalidade agradável tem sido enfatizada porque é um fator que capacita a pessoa a prestar serviço com a disposição adequada. Se alguém tem uma personalidade que agrada e trabalha em espírito de harmonia, essas qualidades muitas vezes compensam as deficiências tanto na qualidade quanto na quantidade do serviço prestado. Nada, entretanto, pode substituir com sucesso uma conduta agradável.

29 de junho

A pessoa cuja renda provém inteiramente da venda de prestação de serviços não é menos comerciante do que o homem que vende mercadorias, e pode-se acrescentar que essa pessoa está sujeita exatamente às mesmas regras de conduta que o comerciante que vende mercadorias.

Isso tem sido enfatizado porque a maioria das pessoas que vive da prestação de serviços comete o erro de se considerar livre das regras de conduta e das responsabilidades inerentes a quem se dedica à comercialização de mercadorias.

A nova forma de comercializar serviços praticamente obrigou empregador e empregado a alianças de parceria em que ambos levam em consideração os direitos do terceiro: o público a quem atendem.

30 de junho

Os dias do "tomador" ficaram para trás. Foram suplantados pelo "doador". Métodos de alta pressão nos negócios finalmente estouraram a tampa. Jamais haverá a necessidade de recolocar a tampa, pois, no futuro, os negócios serão conduzidos por métodos que não exigirão pressão.

O valor de capital real de seu cérebro pode ser determinado pela quantidade de renda que você é capaz de produzir (comercializando seus serviços). O dinheiro não vale mais que seu cérebro. Muitas vezes vale muito menos. "Cérebros" competentes, se efetivamente comercializados, representam um tipo de capital muito mais desejável que aquele que é necessário para conduzir um negócio comercializando mercadorias, porque "cérebros" são um tipo de capital que não pode ser permanentemente depreciado por crises, nem roubado, nem gasto. Além disso, o dinheiro, que é essencial para a condução dos negócios, é tão inútil quanto uma duna de areia até ser misturado com "cérebros" eficientes.

JULHO

O sétimo passo para a riqueza

DECISÃO

1º de julho

Uma análise precisa de mais de 25 mil homens e mulheres que experimentaram o fracasso revelou que a falta de decisão estava encabeçando a lista das trinta principais causas dele. Essa não é apenas uma afirmação teórica; *é um fato*.

A procrastinação, o oposto da decisão, é um inimigo comum que praticamente todo homem precisa vencer.

Você terá a oportunidade de testar sua capacidade de tomar decisões *rápidas* e *definitivas* quando terminar de ler este livro e estiver pronto para começar a colocar em prática os princípios nele descritos.

2 de julho

A análise de várias centenas de pessoas que acumularam fortunas muito além da marca de um milhão de dólares revelou que *cada uma delas* tinha o hábito de tomar decisões prontamente e mudar suas decisões lentamente se e quando as mudavam. As pessoas que não conseguem acumular dinheiro, *sem exceção*, têm o hábito de tomar decisões, se é que o fazem, muito *lentamente* e *mudá-las de maneira rápida e frequente*.

3 de julho

A maioria das pessoas que não conseguem obter dinheiro suficiente para suas necessidades é, em geral, facilmente influenciada pelas "opiniões" dos outros. Elas permitem que os jornais e os vizinhos "fofoqueiros" orientem sua "forma de pensar". "Opiniões" são as mercadorias mais baratas do mundo. Todo mundo tem muitas opiniões prontas para serem entregues a qualquer um que as aceite. Se você for influenciado por "opiniões" ao tomar decisões, não terá sucesso em nenhum empreendimento, muito menos no de transmutar seu próprio desejo em dinheiro.

4 de julho

Se você for influenciado pelas opiniões dos outros, não terá vontade própria.

Siga suas próprias ideias quando começar a pôr em prática os princípios descritos aqui, *tomando suas próprias decisões* e seguindo-as. Não confie em ninguém, exceto os membros de seu grupo MasterMind, e, ao selecionar esse grupo, escolha apenas aqueles que estiverem em total sintonia e harmonia com seu objetivo.

5 de julho

Amigos íntimos e parentes, embora não tenham a intenção, muitas vezes prejudicam a pessoa com suas "opiniões" e, às vezes, caçoando, achando que isso pode ser engraçado. Milhares de homens e mulheres carregam consigo complexos de inferioridade por toda a vida, porque alguma pessoa bem-intencionada, mas ignorante, destruiu sua confiança com "opiniões" ou piadinhas.

6 de julho

Você tem cérebro e mente próprios. Use-os e tome suas próprias decisões. Se precisar de fatos ou informações de outras pessoas para tomar decisões, como provavelmente vai acontecer em muitos casos, procure esses fatos ou obtenha as informações de que precisa silenciosamente, sem revelar seu objetivo.

7 de julho

É característico das pessoas que têm apenas conhecimento raso ou superficial tentar dar a impressão de que sabem demais. Essas pessoas geralmente falam muito e escutam pouco. Mantenha os olhos e os ouvidos bem abertos – e a boca fechada – se quiser adquirir o hábito da decisão imediata. Quem fala demais faz pouco. Se você fala mais do que ouve, não apenas se priva de muitas oportunidades de acumular conhecimento útil, como também revela seus planos e objetivos a pessoas que terão grande prazer em derrotá-lo, porque o invejam.

Lembre-se também de que toda vez que você abre a boca na presença de uma pessoa que tem muito conhecimento, você mostra a ela seu estoque exato de conhecimento – ou a falta dele! A sabedoria genuína geralmente é visível pela *modéstia* e pelo *silêncio*.

8 de julho

Tenha em mente que cada pessoa com quem você se associa está, como você, buscando a oportunidade de acumular dinheiro. Se você fala sobre seus planos com muita liberdade, pode se surpreender ao saber que outra pessoa o superou em seu objetivo, colocando em ação os planos dos quais você falou de maneira imprudente.

Que uma de suas primeiras decisões seja manter a boca fechada e os ouvidos e olhos abertos.

Como um lembrete para seguir este conselho, é útil você copiar o seguinte lema em letras grandes e colocá-lo onde possa vê-lo diariamente: "Antes de dizer ao mundo o que você pretende fazer, mostre". Isso equivale a dizer que "as ações, e não as palavras, são o que mais valem".

9 de julho

O valor das decisões depende da coragem necessária para tomá-las. As grandes decisões que serviram de base para a civilização foram tomadas assumindo grandes riscos, que muitas vezes significavam a possibilidade da morte.

A maior decisão de todos os tempos, no que diz respeito a qualquer cidadão americano, foi tomada na Filadélfia, em 4 de julho de 1776, quando cinquenta e seis homens assinaram um documento que eles sabiam que traria liberdade para todos os americanos, ou *levaria à forca cada um dos cinquenta e seis*!

10 de julho

Analise os acontecimentos que levaram à Declaração de Independência dos Estados Unidos da América e se convença de que essa nação, que agora ocupa uma posição de respeito e poder entre todas as nações do mundo, nasceu de uma decisão tomada por um MasterMind composto por cinquenta e seis homens. Observe bem que foi a decisão deles que garantiu o sucesso dos exércitos de Washington, porque o espírito dessa decisão estava no coração de cada soldado que lutou e serviu como um poder espiritual que não reconhece o fracasso.

Observe também (com grande benefício pessoal) que o poder que deu liberdade à nação norte-americana é o mesmo poder que deve ser usado por todo indivíduo que se torna autodeterminado. Esse poder é composto pelos princípios descritos neste livro. Não será difícil detectar na história da Declaração da Independência pelo menos seis destes princípios: desejo, decisão, fé, persistência, MasterMind e planejamento organizado.

11 de julho

Em toda esta filosofia será encontrada a sugestão de que o pensamento, amparado por forte desejo, tende a transmutar-se em seu equivalente físico.

Na busca pelo segredo do método, não procure um milagre, porque não o encontrará. Você encontrará apenas as leis eternas da Natureza. Essas leis estão disponíveis para todas as pessoas que tiverem fé e coragem para usá-las. Podem ser usadas para trazer liberdade a uma nação ou acumular riquezas. Não há nenhum custo, exceto o tempo necessário para entendê-las e se apropriar delas.

12 de julho

Aqueles que tomam decisões prontamente e com segurança sabem o que querem e geralmente conseguem o que querem. Os líderes em todas as esferas da vida decidem com rapidez e firmeza. Essa é a principal razão para serem líderes. O mundo costuma abrir espaço para o homem cujas palavras e ações mostram que ele sabe para onde está indo.

13 de julho

A indecisão é um hábito que geralmente começa na juventude. O hábito se torna permanente à medida que o jovem passa pelo ensino fundamental, pelo ensino médio e até pela faculdade sem definição de objetivo. A maior fraqueza de todos os sistemas educacionais é que não ensinam nem incentivam o hábito da decisão definida.

O hábito da indecisão, adquirido por causa das deficiências de nosso sistema escolar, acompanha o aluno na ocupação que ele escolher… isso *se*… de fato, ele escolher sua ocupação. Geralmente, o jovem recém-saído da escola procura qualquer emprego que possa encontrar. Aceita o primeiro lugar que encontra, porque caiu no hábito da indecisão. Noventa e oito em cada cem pessoas que trabalham por salário hoje estão nas posições que ocupam porque faltou a elas a decisão de planejar uma posição definida e o conhecimento de como escolher um emprego.

14 de julho

A definição da decisão sempre requer coragem, às vezes uma coragem muito grande. Os cinquenta e seis homens que assinaram a Declaração de Independência dos Estados Unidos da América apostaram a vida na decisão de endossar aquele documento. A pessoa que chega a uma decisão definida de conseguir o emprego específico e fazer a vida pagar o preço que ela pede não aposta a vida nessa decisão; aposta sua liberdade econômica. Independência financeira, riqueza, negócios desejáveis e posições profissionais não estão ao alcance da pessoa que negligencia ou se recusa a esperar, planejar e exigir essas coisas. A pessoa que deseja riquezas com o mesmo espírito que Samuel Adams desejou a liberdade para as colônias certamente acumulará riquezas.

15 de julho

Se o sucesso depende do poder, e se o poder é esforço organizado, e se o primeiro passo na direção da organização é um objetivo definido, fica fácil ver por que esse objetivo é essencial.

Enquanto não escolher um objetivo definido na vida, um homem dissipará suas energias e dispersará seus pensamentos por muitos assuntos e em muitas direções diferentes que não levam ao poder, mas à indecisão e à fraqueza.

16 de julho

A observação cuidadosa da filosofia de negócios de mais de cem homens e mulheres que alcançaram sucesso notável em suas respectivas profissões revelou que cada um deles era uma pessoa de decisões rápidas e definidas.

O hábito de trabalhar com um Objetivo Principal Definido cria em você o hábito da decisão imediata, e esse hábito o ajuda em tudo o que fizer.

17 de julho

O hábito de trabalhar com um Objetivo Principal Definido o ajuda a concentrar toda atenção em qualquer tarefa, até dominá-la. A concentração de esforços e o hábito de trabalhar com um Objetivo Principal Definido são dois fatores essenciais para o sucesso que sempre se encontram juntos. Um leva ao outro.

18 de julho

É preciso ter força de caráter, determinação e poder de DECISÃO firme para abrir uma conta poupança e depois adicionar a ela uma parcela regular, embora pequena, de toda a renda recebida a partir de então.

Existe uma regra para qualquer homem poder determinar, com bastante antecedência, se algum dia desfrutará ou não da independência financeira tão desejada por todos, e essa regra não tem absolutamente nada a ver com o montante de renda de alguém. A regra é que, se um homem segue o hábito sistemático de poupar uma proporção definida de todo o dinheiro que ganha, é praticamente certo que se colocará em posição de independência financeira. Se não poupar nada, ele TEM ABSOLUTA CERTEZA DE QUE NUNCA SERÁ FINANCEIRAMENTE INDEPENDENTE, não importa o valor de sua renda.

19 de julho

Você não está aproveitando ao máximo este livro se não der um passo por dia na direção da realização de seu Objetivo Principal Definido. Não se engane nem se deixe enganar acreditando que o alvo de seu Objetivo Principal Definido vai se materializar, se você ficar apenas esperando. A materialização virá por meio de sua determinação, respaldada por seus planos cuidadosamente traçados e por sua iniciativa ao colocar esses planos em ação, ou não acontecerá.

Um dos principais requisitos para a liderança é o poder de DECISÃO rápida e firme!

A análise de mais de 16 mil pessoas revelou que os líderes são sempre homens de decisão rápida, mesmo em assuntos de pouca importância, enquanto o liderado NUNCA é uma pessoa de decisão rápida. Vale a pena lembrar disso!

20 de julho

O liderado, seja qual for o caminho da vida em que você o encontre, é um homem que raramente sabe o que quer. Ele vacila, procrastina e até se recusa a tomar uma decisão, mesmo em questões de menor importância, a menos que um líder o induza a isso.

Saber que a maioria das pessoas não pode e não vai tomar decisões rapidamente, se é que em algum momento as tomará, é de grande ajuda para o líder que sabe o que quer e tem um plano para alcançá-lo.

21 de julho

O líder não só trabalha com um OBJETIVO PRINCIPAL DEFINIDO, mas também tem um plano bem definido para alcançar esse objetivo. Será visto também que a Lei da Autoconfiança se torna parte importante das ferramentas de trabalho do líder.

A principal razão para o liderado não tomar decisões é que ele não tem autoconfiança para isso.

22 de julho

A escolha de um Objetivo Principal Definido exige imaginação e decisão! O poder de decisão cresce com o uso. A pronta decisão de forçar a imaginação a criar um Objetivo Principal Definido torna mais poderosa a capacidade de tomar decisões em outros assuntos.

Adversidades e derrotas temporárias geralmente são bênçãos disfarçadas, porque forçam a pessoa a usar tanto a imaginação quanto a decisão. É por isso que um homem geralmente luta melhor quando está encurralado e sabe que não tem para onde recuar. Ele então toma a decisão de lutar em vez de correr.

23 de julho

A imaginação nunca é tão ativa quanto no momento em que enfrentamos alguma emergência que exige decisão e ação rápidas e definidas. Nesses momentos de emergência, os homens tomaram decisões, construíram planos, usaram a imaginação de tal maneira que ficaram conhecidos como gênios. Muitos gênios nasceram da necessidade de uma estimulação incomum da imaginação, resultado de alguma experiência difícil que forçou um pensamento rápido e uma decisão imediata.

É sabido que a única maneira de um menino mimado se tornar útil é forçá-lo a se tornar autossuficiente. Isso exige o exercício tanto da imaginação quanto da decisão, e nenhuma delas seria usada, exceto por necessidade.

24 de julho

A partir do dia em que você tomar uma decisão definida quanto ao objeto, à condição ou à posição na vida que deseja profundamente, vai notar, ao ler livros, jornais e revistas, que notícias importantes e outros dados relativos ao seu Objetivo Principal Definido começarão a chamar sua atenção; você vai observar também que começarão a surgir oportunidades que, se abraçadas, o levarão cada vez mais perto do cobiçado objeto de seu desejo. Ninguém sabe melhor do que o autor deste livro como isso pode parecer impossível e impraticável para a pessoa que não é informada sobre o tema do funcionamento da mente; no entanto, esta não é uma época favorável ao hesitante ou ao cético, e a melhor coisa a fazer é experimentar esse princípio até que sua praticidade seja estabelecida.

25 de julho

A procrastinação rouba oportunidades. É um fato significativo que nenhum grande líder jamais se tornou conhecido por procrastinar. Você tem sorte se a AMBIÇÃO o leva à ação, nunca permitindo que você hesite ou volte atrás depois de tomar a DECISÃO de seguir em frente. Segundo a segundo, enquanto o relógio marca a distância, o TEMPO está apostando uma corrida com VOCÊ. Atraso significa derrota, porque nenhum homem pode recuperar um segundo do TEMPO perdido. O TEMPO é um mestre trabalhador que cura as feridas do fracasso e da decepção, corrige todos os erros e os transforma em capital, mas favorece apenas aqueles que eliminam a procrastinação e permanecem em AÇÃO quando as decisões devem ser tomadas.

26 de julho

Pergunte a qualquer vendedor bem-informado, e ele vai dizer que a indecisão é a grande fraqueza da maioria das pessoas.

Todo vendedor conhece aquela velha resposta, "Vou pensar", que é a última trincheira de defesa daqueles que não têm coragem de dizer sim ou não.

Os grandes líderes do mundo foram homens e mulheres de decisão rápida.

27 de julho

O suspense da indecisão leva milhões de pessoas ao fracasso. Um homem condenado certa vez disse que pensar na proximidade de sua execução não era tão aterrorizante, depois de ele ter tomado a decisão de aceitar o inevitável.

28 de julho

O homem de DECISÃO consegue o que busca, não importa quanto tempo demore ou quão difícil seja a tarefa. Um vendedor competente queria encontrar um banqueiro de Cleveland. O banqueiro não queria recebê-lo.

O homem DECIDIDO não pode ser parado!

O homem INDECISO não consegue sequer começar! Faça sua escolha.

29 de julho

Quando Colombo iniciou sua famosa viagem, ele tomou uma das DECISÕES de maior alcance na história da humanidade. Se não tivesse se mantido firme nessa decisão, a liberdade da América, como a conhecemos hoje, nunca teria sido conhecida.

Preste atenção nas pessoas ao seu redor e observe este fato significativo: OS HOMENS E AS MULHERES DE SUCESSO SÃO AQUELES QUE TOMAM DECISÕES RAPIDAMENTE E AS MANTÊM COM FIRMEZA DEPOIS DE TOMÁ-LAS.

30 de julho

Se você é um daqueles que se decidem hoje e mudam de ideia amanhã, está fadado ao fracasso. Se não tem certeza de qual caminho seguir, é melhor fechar os olhos e se mover no escuro do que ficar parado e não fazer nenhum movimento.

O mundo vai perdoar se você errar, mas nunca vai perdoar se você não tomar DECISÕES, porque nunca vai ouvir falar de você fora da comunidade em que vive.

31 de julho

Não importa quem você é ou qual pode ser o trabalho de sua vida, você está jogando damas com o TEMPO! É sempre seu o próximo lance. Mova-se com DECISÃO rápida e o tempo o favorecerá. Fique parado e o tempo o apagará do tabuleiro.

Nem sempre você pode fazer o movimento certo, mas, se fizer movimentos suficientes, vai poder tirar proveito da lei das médias e acumular uma pontuação notável antes que o grande jogo da VIDA termine.

AGOSTO

O oitavo passo para a riqueza

PERSISTÊNCIA

1º de agosto

Persistência é um fator essencial no processo de transmutação do desejo em seu equivalente monetário. A base da persistência é a força de vontade.

Força de vontade e desejo, quando devidamente combinados, formam uma dupla invencível. Homens que acumulam grandes fortunas são geralmente conhecidos por terem sangue frio e, às vezes, por serem implacáveis. Muitas vezes são mal interpretados. O que eles têm é força de vontade, que misturam com a persistência e colocam como respaldo de seus desejos para *garantir* o alcance de seus objetivos.

2 de agosto

A maioria das pessoas está pronta para lançar seus objetivos e propósitos ao mar e desistir ao primeiro sinal de oposição ou infortúnio. Algumas continuam, apesar de toda a oposição, até atingirem seu objetivo.

Pode não haver uma conotação heroica para a palavra *persistência*, mas esta qualidade é, para o caráter do homem, o que o carbono é para o aço.

3 de agosto

A construção de uma fortuna geralmente envolve a aplicação de todos os treze princípios desta filosofia. Esses princípios devem ser compreendidos; devem ser aplicados com persistência por todos que acumulam dinheiro.

Se você está seguindo este livro com a intenção de aplicar o conhecimento que ele transmite, seu primeiro teste de persistência virá quando começar a seguir os seis passos descritos no início.

4 de agosto

A falta de persistência é uma das principais causas do fracasso. Além disso, a experiência com milhares de pessoas provou que a falta de persistência é uma fraqueza comum à maioria dos homens. Mas é uma fraqueza que pode ser superada com esforço. A facilidade com que a falta de persistência pode ser vencida depende *inteiramente* da intensidade do desejo de alguém.

5 de agosto

O ponto de partida de toda conquista é o desejo. Tenha isso sempre em mente. Desejos fracos trazem resultados fracos, assim como uma pequena quantidade de fogo produz uma pequena quantidade de calor. Se você carece de persistência, essa fraqueza pode ser remediada construindo um fogo mais forte sob seus desejos.

6 de agosto

Fortunas fluem para os homens cujas mentes foram preparadas para "atraí-las", com a mesma certeza de que a água flui para o oceano. Neste livro podem ser encontrados todos os estímulos necessários para "sintonizar" qualquer mente normal com as vibrações que atrairão o objeto de seus desejos.

Se você achar que lhe falta persistência, cerque-se de um grupo MasterMind e, por meio dos esforços cooperativos dos membros desse grupo, poderá desenvolver a persistência.

7 de agosto

Sua mente subconsciente trabalha continuamente enquanto você está acordado e enquanto dorme.

O esforço espasmódico ou ocasional para aplicar as regras não valerá de nada. Para obter resultados, você deve aplicar todas as regras até que sua aplicação se torne um hábito instalado. De nenhuma outra maneira você pode desenvolver a necessária "consciência do dinheiro".

A pobreza é atraída por aquele cuja mente é favorável a ela, assim como o dinheiro é atraído por aquele cuja mente foi deliberadamente preparada para atraí-lo, e pelas mesmas leis. A consciência da pobreza se apodera voluntariamente da mente que não está ocupada com a consciência do dinheiro. Uma consciência da pobreza se desenvolve sem a aplicação *consciente* de hábitos favoráveis a ela. A consciência do dinheiro deve ser criada por esforço, a menos que alguém nasça com ela.

8 de agosto

Sem persistência, você será derrotado antes mesmo de começar. Com persistência você vai vencer.
Você pode achar necessário "sair" de sua inércia mental movendo-se lentamente no início, e depois aumentando a velocidade, até obter o controle total sobre sua vontade. Seja persistente, não importa o quanto esteja se movendo devagar no início. Com persistência o sucesso virá.

9 de agosto

Se você selecionar seu grupo MasterMind com cuidado, terá nele pelo menos uma pessoa que o ajudará no desenvolvimento da persistência. Alguns indivíduos que acumularam grandes fortunas chegaram nesse resultado por necessidade. Desenvolveram o hábito da persistência, porque foram tão fortemente guiados pelas circunstâncias que *tiveram que se tornar persistentes*.

Não há substituto para a persistência! Ela não pode ser substituída por nenhuma outra qualidade! Lembre-se disso, e vai se sentir animado no início, quando as coisas parecerem difíceis e lentas.

10 de agosto

Aqueles que cultivaram o hábito da persistência parecem ter um seguro contra o fracasso. Não importa quantas vezes sejam derrotados, eles finalmente chegam ao topo da escada. Às vezes parece que existe um guia oculto cujo dever é testar os homens com todo tipo de experiências desanimadoras. Chegam lá aqueles que se levantam depois da derrota e continuam tentando, e o mundo grita: "Bravo! Eu sabia que você ia conseguir!". O guia oculto não permite que ninguém desfrute de grandes conquistas sem passar no teste de persistência. Aqueles que não passam nesse teste simplesmente não se formam.

Aqueles que conseguem "passar por isso" são generosamente recompensados pela persistência. Como compensação, conquistam qualquer objetivo que perseguem. E isso não é tudo! Eles recebem algo infinitamente mais importante do que uma compensação material: o conhecimento de que "cada falha traz consigo a semente de um benefício equivalente".

11 de agosto

Algumas pessoas conhecem por experiência própria o valor da persistência. São as que não aceitaram a derrota como algo mais que temporário. São aquelas cujos desejos são tão persistentemente perseguidos, que a derrota é finalmente transformada em vitória. Nós, que ficamos à margem da vida, vemos o número esmagadoramente grande dos que caem para a derrota, para nunca mais se levantar. Vemos os poucos que encaram o castigo da derrota *como um impulso para um esforço maior*. Estes, felizmente, nunca aprenderam a aceitar a marcha à ré da vida. Mas o que não vemos, o que a maioria de nós nunca suspeita que exista, é o poder silencioso, mas irresistível, que vem em socorro daqueles que lutam perante o desânimo. Se formos falar desse poder, nós o chamaremos de persistência e deixaremos por isso mesmo. Uma coisa que todos nós sabemos é que, se alguém não tem persistência, não alcança um sucesso notável em nenhuma vocação.

12 de agosto

Persistência é um estado de espírito; portanto, pode ser cultivada. Como todos os estados mentais, a persistência se baseia em causas definidas, entre elas:

a. **Definição de objetivo.** Saber o que se quer é o primeiro e mais importante passo para o desenvolvimento da persistência. Um motivo forte supera muitas dificuldades.

b. **Desejo.** É fácil adquirir e manter a persistência na busca do objeto de um desejo intenso.

c. **Autoconfiança.** A crença na própria capacidade de realizar um plano incentiva a pessoa a segui-lo com persistência.

d. **Definição de planos.** Planos organizados, mesmo que sejam fracos e totalmente impraticáveis, incentivam a persistência.

e. **Conhecimento preciso.** Saber que os planos de alguém são bons, baseados em experiência ou observação, incentiva a persistência; "tentar adivinhar" em vez de "saber" destrói a persistência.

f. **Cooperação.** Simpatia, compreensão e cooperação harmoniosa com os outros tendem a desenvolver persistência.

g. **Força de vontade.** O hábito de concentrar os pensamentos na construção de planos para a conquista de um objetivo definido leva à persistência.

h. **Hábito.** A persistência é o resultado direto do hábito. O medo, o pior de todos os inimigos, pode ser efetivamente curado pela *repetição forçada de atos de coragem*.

13 de agosto

Faça uma análise de si mesmo e determine em que ponto particular, se houver, você está carente dessa qualidade essencial da persistência. Avalie-se corajosamente, ponto por ponto, e veja quantos dos oito fatores de persistência lhe faltam. A análise pode levar a descobertas que darão a você um novo controle sobre si mesmo.

14 de agosto

As fraquezas que devem ser dominadas por todos que acumulam riquezas são:

1. Deixar de reconhecer e definir com clareza e exatidão o que se quer.
2. Procrastinação. (Geralmente apoiada por um álibi ou desculpa.)
3. Desinteresse em adquirir conhecimento especializado.
4. Indecisão.
5. Apoiar-se em justificativas em vez de criar planos definidos para a solução de problemas.
6. Autossatisfação.
7. Indiferença.
8. Culpar os outros pelos próprios erros e aceitar as circunstâncias desfavoráveis como inevitáveis.
9. Desejo fraco, devido à negligência na escolha dos motivos que impulsionam a ação.
10. Vontade de desistir ao primeiro sinal de derrota. (Baseado nos seis medos básicos.)
11. Falta de planos organizados, registrados por escrito, de modo que possam ser analisados.
12. Deixar de pôr ideias em prática ou aproveitar a oportunidade quando ela se apresenta.
13. Desejar em vez de fazer acontecer.
14. Compactuar com a pobreza em vez de almejar a riqueza.
15. Procurar atalhos para a riqueza, tentando obter algo sem dar um equivalente justo, esforçando-se para fazer barganhas "espertas".
16. Medo de críticas, incapacidade de traçar planos e colocá-los em ação, por causa do que os outros vão pensar, fazer ou dizer.

15 de agosto

Vamos examinar alguns sintomas do medo da crítica. Majoritariamente, as pessoas permitem que parentes, amigos e o público em geral as influenciem de tal forma que não possam viver a própria vida, porque temem críticas.

Um grande número de pessoas comete um erro ao se casar, mantém a relação e passa a vida miserável e infeliz, porque teme as críticas que podem surgir se corrigir o erro. Quem já se submeteu a essa forma de medo sabe o dano irreparável que causa, destruindo a ambição, a autoconfiança e o desejo de realização.

16 de agosto

As pessoas se recusam a arriscar nos negócios porque temem as críticas que podem surgir, se falharem. *O medo da crítica nesses casos é mais forte que o desejo de sucesso.*

Muitas pessoas se recusam a estabelecer metas elevadas para si mesmas, ou até negligenciam a escolha de uma carreira, porque temem a crítica de parentes e "amigos" que podem dizer: "Não sonhe tão alto; as pessoas vão pensar que você é louco".

17 de agosto

Muitas pessoas acreditam que o sucesso material é resultado de "brechas" favoráveis. Há um elemento de base para a crença, mas quem depende inteiramente da sorte quase sempre fica desapontado, porque negligencia outro fator importante que deve estar presente antes que alguém possa ter certeza do sucesso. É o conhecimento com o qual as "brechas" favoráveis podem ser criadas.

A única "brecha" em que alguém pode se dar ao luxo de confiar é aquela criada por si mesmo. Elas surgem por meio da aplicação da persistência. O ponto de partida é a definição de propósito.

18 de agosto

Examine as primeiras cem pessoas que encontrar, pergunte o que elas mais desejam na vida, e noventa e oito delas não serão capazes de responder. Se você insistir em obter uma resposta, algumas vão dizer que é segurança, muitas vão dizer que é dinheiro, outras felicidade, outras fama e poder, e outras ainda dirão que é reconhecimento social, tranquilidade na vida, saber cantar, dançar ou escrever, mas ninguém vai conseguir definir esses termos ou dar a menor indicação de um plano pelo qual esperam realizar esses desejos expressos de maneira tão vaga. Riquezas não respondem a desejos. Elas respondem apenas a planos definidos apoiados por desejos definidos por meio de persistência constante.

19 de agosto

Existem quatro passos simples que levam ao hábito da persistência. Não exigem grande inteligência, nenhuma formação específica e só um pouco de tempo e esforço. Os passos necessários são:

1. Um objetivo definido apoiado por um desejo ardente de sua realização.
2. Um plano definido expresso em ação contínua.
3. Uma mente blindada contra todas as influências negativas e desanimadoras, incluindo sugestões negativas de parentes, amigos e conhecidos.
4. Uma aliança amigável com uma ou mais pessoas que vão incentivar o indivíduo a prosseguir tanto com o plano quanto com o objetivo.

Esses quatro passos são essenciais para o sucesso em todas as esferas da vida.

20 de agosto

Todo o propósito dos treze princípios desta filosofia é capacitar a pessoa a dar esses quatro passos (*ver 19 de agosto*) por *hábito*.

Esses são os passos pelos quais alguém pode controlar seu destino econômico.

São os passos que conduzem à liberdade e independência de pensamento.

São os passos que conduzem à riqueza em pequenas ou grandes quantidades.

Eles mostram o caminho para o poder, a fama e o reconhecimento mundano.

São os quatro passos que garantem "brechas" favoráveis.

São os passos que convertem os sonhos em realidade.

Eles levam, também, ao domínio do medo, do desânimo, da indiferença.

Há uma recompensa magnífica para todos que aprendem a dar esses quatro passos. É o privilégio de definir a própria renda e fazer a vida pagar qualquer preço que se peça.

21 de agosto

Que poder místico dá aos homens que têm persistência a capacidade de vencer as dificuldades? A qualidade da persistência estabelece na mente do indivíduo alguma forma de atividade espiritual, mental ou química que dá acesso a forças sobrenaturais? A Inteligência Infinita se coloca ao lado da pessoa que ainda luta depois que a batalha foi perdida contra o mundo inteiro?

Essas e muitas outras questões semelhantes surgiram em minha mente quando observei homens como Henry Ford – que começou do zero e construiu um império industrial de enormes proporções com pouco mais que persistência – ou Thomas Edison – que com menos de três meses de escolaridade tornou-se o maior inventor do mundo e converteu a persistência no fonógrafo, no cinematógrafo e na luz incandescente, sem falar em meia centena de outras invenções úteis.

Tive o privilégio de analisar tanto o Sr. Edison quanto o Sr. Ford durante muitos anos e, portanto, falo com conhecimento real quando digo que não encontrei, em nenhum deles, nenhuma qualidade que sugerisse, mesmo que de maneira remota, a principal origem de suas realizações estupendas, a não ser a persistência.

22 de agosto

Ao fazer um estudo imparcial dos profetas, filósofos, homens "milagrosos" e líderes religiosos do passado, chega-se à inevitável conclusão de que persistência, concentração de esforço e definição de objetivo foram as principais fontes de suas conquistas.

23 de agosto

Uma das causas mais comuns de fracasso é o hábito de desistir quando se é surpreendido por uma *derrota temporária*. Todo mundo comete esse erro em um momento ou outro.

Mais de quinhentos dentre os homens mais bem-sucedidos que esse país já conheceu disseram ao autor que seu maior sucesso aconteceu apenas um passo *depois* do ponto em que a derrota os alcançou.

O fracasso é um trapaceiro com um grande senso de ironia e astúcia. Seu grande prazer é fazer alguém tropeçar quando o sucesso está quase ao alcance da mão.

24 de agosto

Com a determinação de um buldogue e a persistência para sustentar um único desejo, você está destinado a acabar com toda oposição e trazer a oportunidade que procura.

A maior parte de todas as vendas realizadas foi feita depois que as pessoas disseram "não".

25 de agosto

Os psicólogos estão certos ao dizer que, "quando alguém está realmente pronto para uma coisa, ela aparece". Que história diferente os homens teriam para contar se adotassem um objetivo definido e defendessem esse propósito até ele ter tempo de se tornar uma obsessão que consome tudo?

26 de agosto

Uma das principais fraquezas da humanidade é a familiaridade do homem comum com a palavra *impossível*. Ele conhece todas as regras que não funcionam. Conhece todas as coisas que não podem ser feitas. Este livro foi escrito para aqueles que buscam as regras que tornaram outras pessoas bem-sucedidas e estão dispostos a *apostar tudo* nessas regras.

27 de agosto

Passamos por dois períodos importantes na vida: um é aquele em que estamos reunindo, classificando e organizando o conhecimento, e o outro é aquele durante o qual lutamos por reconhecimento. Devemos primeiro aprender algo, o que requer mais esforço do que a maioria se dispõe a investir no trabalho, mas, depois de aprendermos muita coisa que pode ser útil para os outros, ainda nos deparamos com a questão de convencê-los de que podemos atendê-los.

Uma das razões mais importantes para estarmos sempre não apenas prontos, mas dispostos a prestar serviço, é que toda vez que o fazemos, ganhamos com isso outra oportunidade de provar a alguém que temos capacidade; damos mais um passo para obter o reconhecimento necessário que todos devemos ter.

Em vez de dizer ao mundo: "Mostre-me a cor do seu dinheiro e eu lhe mostrarei o que posso fazer", inverta a regra e diga: "Deixe-me mostrar o que posso fazer para que eu possa ver a cor do seu dinheiro, se você gostar do meu serviço".

28 de agosto

O líder que desenvolve e dirige com sucesso as energias de um MasterMind deve ter tato, paciência, persistência, autoconfiança, conhecimento profundo da química da mente e capacidade de se adaptar (em um estado de perfeito equilíbrio e harmonia) a circunstâncias em rápida transformação, sem mostrar o menor sinal de contrariedade.

29 de agosto

Agora você tem em seu poder a chave-mestra para a realização. Só precisa destrancar a porta do templo do conhecimento e entrar. Mas você precisa ir ao templo; ele não virá até você. Se essas leis forem novas para você, de início, o "ir" não será fácil. Você vai tropeçar muitas vezes, mas continue andando! Muito em breve você chegará ao cume da montanha que está escalando e vai contemplar nos vales lá embaixo o rico estado de CONHECIMENTO, que será a recompensa por sua fé e seus esforços.

Tudo tem um preço. Não existe a possibilidade de "algo a troco de nada". Em seus experimentos com a Lei do MasterMind, você está lidando com a Natureza em sua forma mais elevada e nobre. A natureza não pode ser enganada ou lesada. Só entregará a você o objeto de seus esforços depois que você pagar o preço estipulado por ela, que é o ESFORÇO CONTÍNUO, INABALÁVEL E PERSISTENTE!

30 de agosto

Você não pode chegar a lugar algum sem persistência – um fato que nunca é demais repetir.

A diferença entre a persistência e a falta dela é a mesma que existe entre desejar uma coisa e determinar-se decididamente a obtê-la.

Para se tornar uma pessoa com iniciativa, você deve adquirir o hábito de perseguir de maneira agressiva e persistente seu objetivo principal definido até alcançá-lo, quer isso exija um ano ou vinte anos. Ter um objetivo sem o esforço contínuo para conquistá-lo é como não ter um objetivo principal definido.

31 de agosto

Fale com qualquer pessoa que você conheça e tenha sucesso financeiro, e ela vai dizer que é constantemente procurada e que oportunidades de ganhar dinheiro são constantemente oferecidas a ela!

"A todo aquele que tem, será dado, mas àquele que não tem, até mesmo o que tem lhe será tirado."

Essa citação da Bíblia costumava parecer-me ridícula, mas quão verdadeira ela é quando reduzida ao seu significado concreto.

Sim, "a todo aquele que tem, será dado!". Se ele "tem" fracasso, falta de autoconfiança, ódio ou falta de autocontrole, essas qualidades serão dadas a ele em abundância ainda maior! Mas, se ele "tem" sucesso, autoconfiança, autocontrole, paciência, persistência e determinação, essas qualidades serão cada vez maiores para ele!

SETEMBRO

O nono passo para a riqueza

PODER DO MASTERMIND

1º de setembro

Poder é essencial para o sucesso na acumulação de dinheiro. Os planos são inertes e inúteis sem poder suficiente para traduzi-los em ação. O *poder* pode ser definido como "conhecimento organizado e dirigido de forma inteligente". *Poder*, como o termo é usado aqui, refere-se ao esforço organizado suficiente para capacitar um indivíduo a transmutar o desejo em seu equivalente monetário. O esforço organizado é produzido pela coordenação do esforço de duas ou mais pessoas que trabalham para um fim definido em espírito de harmonia.

2 de setembro

Poder é necessário para o acúmulo de dinheiro!
Poder é necessário para a conservação do dinheiro acumulado!
Vamos verificar como é possível adquirir o poder. Se poder é "conhecimento organizado", examinemos as fontes do conhecimento:

a. **Inteligência Infinita.** Pode-se entrar em contato com essa fonte de conhecimento por meio do procedimento descrito em outro capítulo, com o auxílio da Imaginação Criativa.
b. **Experiência acumulada.** A experiência acumulada do homem (ou aquela parte dela que foi organizada e registrada) pode ser encontrada em qualquer biblioteca pública bem equipada. Parte importante dessa experiência acumulada é ensinada em escolas e faculdades públicas, onde foi classificada e organizada.
c. **Experiência e pesquisa.** No campo da ciência, e em praticamente todas as outras esferas da vida, os homens estão reunindo, classificando e organizando novos fatos diariamente. Esta é a fonte à qual se deve recorrer quando o conhecimento não está disponível por meio da "experiência acumulada". Aqui, também, a Imaginação Criativa deve ser usada com frequência.

3 de setembro

Conhecimento pode ser convertido em poder, organizando-o em planos definidos e expressando esses planos em termos de ação.

4 de setembro

O exame das três principais fontes de conhecimento (*ver 2 de setembro*) revela prontamente a dificuldade que um indivíduo teria, se dependesse apenas de seus esforços, para reunir conhecimento e expressá-lo por meio de planos definidos em termos de ação. Se seus planos são abrangentes e de grandes proporções, ele deve, de maneira geral, induzir outras pessoas a cooperar antes que possa injetar neles o necessário elemento de poder.

5 de setembro

O "MasterMind" pode ser definido como: "Coordenação de conhecimento e esforço, em espírito de harmonia, entre duas ou mais pessoas, para a obtenção de um objetivo definido".

Nenhum indivíduo pode ter grande poder sem se valer do MasterMind.

6 de setembro

Para que você possa entender melhor as possibilidades "intangíveis" de poder disponíveis por meio de um grupo MasterMind adequadamente escolhido, explicaremos aqui as duas características do princípio MasterMind, uma delas de natureza econômica, e a outra, psíquica. A característica econômica é óbvia. Vantagens econômicas podem ser criadas por qualquer pessoa que se cerca de orientação, conselho e cooperação pessoal de um grupo de pessoas dispostas a prestar ajuda sincera em disposição de perfeita harmonia. Essa forma de aliança cooperativa tem sido a base de quase todas as grandes fortunas. A compreensão dessa grande verdade pode determinar definitivamente sua situação financeira.

A fase psíquica do princípio MasterMind é muito mais abstrata, e muito mais difícil de compreender, porque se refere às forças espirituais com as quais a raça humana, como um todo, não está bem familiarizada. Você pode captar uma sugestão significativa nesta afirmação: "Duas mentes nunca se unem sem criar uma terceira força, invisível e intangível, que pode ser comparada a uma terceira mente".

7 de setembro

Tenha em mente que existem apenas dois elementos conhecidos em todo o Universo: energia e matéria. Sabe-se que a matéria pode ser dividida em unidades de moléculas, átomos e elétrons. Existem unidades de matéria que podem ser isoladas, separadas e analisadas.

Da mesma forma, existem unidades de energia.

A mente humana é uma forma de energia, uma parte dela de natureza espiritual. Quando as mentes de duas pessoas são coordenadas em espírito de harmonia, as unidades espirituais de energia de cada mente formam uma afinidade, que constitui a fase "psíquica" do MasterMind.

8 de setembro

Analise o histórico de qualquer homem que acumulou uma grande fortuna e de muitos que acumularam fortunas modestas, e você descobrirá que eles empregaram o princípio MasterMind de maneira consciente ou inconsciente.

Não se pode acumular grande poder por meio de nenhum outro princípio!

9 de setembro

Energia é o conjunto universal de blocos de construção da Natureza, com os quais ela constrói todas as coisas materiais do Universo, incluindo o homem e todas as formas de vida animal e vegetal. Por meio de um processo que só a Natureza entende completamente, ela transforma energia em matéria.

Os blocos de construção da Natureza estão disponíveis para o homem na energia envolvida no pensamento! O cérebro do homem pode ser comparado a uma bateria elétrica: ele absorve a energia do éter, que permeia cada átomo da matéria e preenche todo o Universo. Sabe-se que um grupo de baterias elétricas fornece mais energia do que uma única bateria. Sabe-se também que uma bateria individual fornece energia proporcional ao número e à capacidade das células que ela contém.

O cérebro funciona de maneira semelhante. Isso explica o fato de alguns cérebros serem mais eficientes que outros e nos leva a esta afirmação significativa: um grupo de cérebros coordenados (ou conectados) em espírito de harmonia fornece mais energia de pensamento do que um único cérebro, assim como um grupo de baterias elétricas fornece mais energia do que uma única bateria.

10 de setembro

Torna-se imediatamente óbvio que o princípio MasterMind guarda o segredo do poder exercido por homens que se cercam de outros homens de cérebro.

Quando um grupo de cérebros individuais é coordenado e funciona em harmonia, o aumento de energia criado por meio dessa aliança torna-se disponível para cada cérebro individual do grupo.

11 de setembro

Há pouca ou nenhuma dúvida de que Henry Ford foi um dos homens mais bem informados no mundo empresarial e industrial. Sua riqueza não precisa ser discutida. Analise os amigos pessoais do Sr. Ford, e você estará preparado para entender a seguinte declaração: "Os homens assumem a natureza, os hábitos e o poder de pensamento daqueles com quem se associam em espírito de simpatia e harmonia".

12 de setembro

Henry Ford derrotou a pobreza, o analfabetismo e a ignorância aliando-se a grandes mentes cujas vibrações de pensamento ele absorveu em sua mente. Pela associação com Edison, Burbank, Burroughs e Firestone, o Sr. Ford acrescentou ao poder do próprio cérebro a soma e a substância de inteligência, experiência, conhecimento e forças espirituais desses quatro homens. Além disso, ele se apropriou do princípio MasterMind e fez uso dele por meio dos métodos de procedimento descritos neste livro.

Esse princípio está disponível para você!

13 de setembro

O poder de Mahatma Gandhi é passivo, mas real. Seu estupendo poder pode ser explicado em poucas palavras: ele induziu mais de duzentos milhões de pessoas a se coordenarem, de mente e corpo, em espírito de harmonia, para um objetivo definido.

Em resumo, Gandhi realizou um milagre, pois é um milagre quando duzentos milhões de pessoas podem ser induzidas – não forçadas – a cooperar em espírito de harmonia por tempo ilimitado. Se você duvida de que isso seja um milagre, tente induzir duas pessoas quaisquer a cooperarem em espírito de harmonia por *qualquer período*.

14 de setembro

Todo homem que administra uma empresa sabe como é difícil conseguir fazer os funcionários trabalharem juntos em um espírito que se pareça, mesmo que de longe, com harmonia.

A lista das principais fontes das quais se pode obter poder é, como você viu, encabeçada pela Inteligência Infinita. Quando duas ou mais pessoas se coordenam em espírito de harmonia e trabalham em direção a um objetivo definido, elas se colocam em posição, por meio dessa aliança, de absorver o poder diretamente do grande armazém universal da Inteligência Infinita. Esta é a maior de todas as fontes de poder. É a fonte para a qual o gênio se volta. É a fonte para a qual todo grande líder se volta (esteja ele consciente desse fato ou não).

15 de setembro

As outras duas principais fontes das quais se pode extrair o conhecimento necessário para a acumulação de poder não são mais confiáveis que os cinco sentidos do homem. E os sentidos nem sempre são confiáveis. A Inteligência Infinita não erra.

16 de setembro

O dinheiro é tão reservado e esquivo quanto a donzela de "antigamente". Deve ser cortejado e conquistado por métodos não muito diferentes daqueles usados por um amante determinado em busca da garota escolhida. E, por coincidência, o poder usado na "conquista" do dinheiro não é muito diferente daquele usado na corte de uma donzela. Esse poder, quando usado com sucesso na busca do dinheiro, deve ser associado à fé. Deve ser associado ao desejo. Deve ser associado à persistência. Deve ser aplicado por meio de um plano, e esse plano deve ser colocado em ação.

17 de setembro

Quando o dinheiro chega em um montante conhecido como "dinheiro grande", ele flui para aquele que o acumula com a mesma facilidade com que a água flui morro abaixo. Existe uma grande correnteza invisível de poder que pode ser comparada a um rio, porém, de um lado ela flui em uma direção, levando todos para a frente e para cima em direção à riqueza, e do outro ela flui na direção oposta, levando todos os suficientemente infelizes para entrar nela (e incapazes de se livrar dela), para baixo, para a miséria e a pobreza.

18 de setembro

*T*odo homem que acumulou uma grande fortuna reconheceu a existência dessa correnteza de vida. Ela consiste no processo do pensamento. As emoções positivas do pensamento formam o lado da corrente que leva a pessoa à fortuna. As emoções negativas formam o lado que leva a pessoa à pobreza.

Se você está do lado da corrente de poder que leva à pobreza, isso pode servir como um remo, com o qual você pode se impulsionar para o outro lado da corrente. Só funciona por meio de aplicação e uso. Apenas ler e julgar, de uma forma ou de outra, não o beneficiará de forma alguma.

19 de setembro

Algumas pessoas passam pela experiência de alternar entre os lados positivo e negativo do fluxo, estando às vezes no lado positivo e às vezes no lado negativo. A quebra da Bolsa de Wall Street, em 1929, levou milhões de pessoas do lado positivo para o lado negativo da corrente. Esses milhões estão lutando, alguns deles com desespero e medo, para voltar ao lado positivo da corrente. Este livro foi escrito especialmente para esses milhões.

20 de setembro

Pobreza e riqueza muitas vezes se alternam de lugar. O *crash* da bolsa ensinou ao mundo essa verdade, embora o mundo não se lembre de uma lição por muito tempo. A pobreza pode substituir voluntariamente a riqueza, e muitas vezes acontece. Quando a riqueza toma o lugar da pobreza, a mudança geralmente ocorre por meio de PLANOS bem concebidos e cuidadosamente executados. A pobreza não precisa de planos. Não precisa de ninguém para ajudá-la, porque é ousada e implacável. A riqueza é reservada e acanhada. Precisa ser "atraída".

Qualquer um pode desejar a riqueza, e a maioria das pessoas deseja, mas poucos sabem que um plano definido mais um desejo ardente são os únicos meios confiáveis para acumular a riqueza.

21 de setembro

O MasterMind significa uma mente que é desenvolvida por meio da cooperação harmoniosa de duas ou mais pessoas que se aliam com o propósito de realizar qualquer tarefa.

Se você atua na área de vendas, pode experimentar o princípio do MasterMind em seu trabalho diário. Verificou-se que um grupo de seis ou sete vendedores pode usar esse princípio de forma tão eficaz que suas vendas podem aumentar em proporções inacreditáveis.

22 de setembro

Quando duas ou mais pessoas harmonizam suas mentes e produzem o efeito conhecido como MasterMind, cada pessoa do grupo adquire o poder de entrar em contato e obter o conhecimento das mentes "subconscientes" de todos os outros membros do grupo. Esse poder torna-se imediatamente perceptível, tendo o efeito de estimular a mente em um ritmo de vibração mais elevado e, de outra forma, evidenciando-se em uma imaginação mais vívida e na consciência do que parece ser um sexto sentido. É por meio desse sexto sentido que as novas ideias "brilharão" na mente. Essas ideias assumem a natureza e a forma do assunto que domina a mente do indivíduo. Se todo o grupo se reuniu com o objetivo de discutir um determinado assunto, as ideias a respeito desse assunto vão brotar na mente de todos os presentes, como se uma influência externa as estivesse ditando. As mentes daqueles que participam do MasterMind tornam-se ímãs, atraindo ideias e estímulos de pensamento da natureza mais organizada e prática, e ninguém sabe de onde isso vem!

23 de setembro

O processo de associação mental descrito como MasterMind pode ser comparado ao ato de conectar muitas baterias elétricas a um único fio de transmissão, "intensificando", assim, a energia que flui por essa linha. Cada bateria adicionada aumenta a energia que passa por essa linha na medida da quantidade de energia que a bateria carrega. Exatamente como ocorre quando mentes individuais se associam em um grupo MasterMind. Cada mente, por meio do princípio da química mental, estimula todas as outras mentes do grupo, até que a energia mental se torna tão grande que penetra e se conecta com a energia universal conhecida como éter, que, por sua vez, toca cada átomo de todo o Universo.

24 de setembro

Você pode fazer, se acreditar que pode! Você falhou muitas vezes? Que sorte! Já deve saber algumas das coisas que NÃO deve fazer.

25 de setembro

Muitos milhões de pessoas acreditam ter SABEDORIA. Muitas têm sabedoria em certos estágios elementares, mas nenhum homem pode ter verdadeira sabedoria sem a ajuda do poder conhecido como MasterMind, e essa mente não pode ser criada exceto pela associação, em harmonia, de duas ou mais mentes.

Com a união e a harmonização de duas ou mais mentes (doze ou treze mentes parece ser o número mais favorável), pode ser produzida uma mente que tenha a capacidade de "sintonizar" as vibrações do éter e captar dessa fonte pensamentos semelhantes sobre qualquer assunto.

26 de setembro

Todos os chamados gênios provavelmente ganharam essa reputação porque, por mero acaso ou não, formaram alianças com outras mentes que lhes permitiram "elevar" as vibrações da própria mente até poderem entrar em contato com o vasto templo do conhecimento, registrado e arquivado no éter do Universo.

27 de setembro

Procure onde quiser, onde quer que encontre um sucesso notável nos negócios, nas finanças, na indústria ou em qualquer profissão, pode ter certeza de que por trás do sucesso existe algum indivíduo que aplicou o princípio da química da mente, a partir do qual um MasterMind foi criado. Esses sucessos notáveis muitas vezes parecem ser obra de uma pessoa só, mas procure com atenção, e vai encontrar os outros indivíduos cujas mentes foram coordenadas com a dele.

Lembre-se de que duas ou mais pessoas podem operar o princípio da química da mente para criar um MasterMind.

28 de setembro

PODER (mão de obra) é CONHECIMENTO ORGANIZADO EXPRESSO POR MEIO DE ESFORÇO INTELIGENTE!

Nenhum esforço pode ser considerado ORGANIZADO, a menos que os indivíduos envolvidos coordenem seu conhecimento e sua energia em um espírito de perfeita harmonia. A falta dessa coordenação harmoniosa de esforços é a principal causa do fracasso de praticamente todos os negócios.

29 de setembro

Dificilmente alguém pode olhar as notícias do dia sem ver um anúncio de alguma fusão comercial, industrial ou financeira, reunindo sob uma administração enormes recursos e, assim, criando grande poder.

Um dia é um grupo de bancos; no outro, uma rede de ferrovias; no dia seguinte, é uma combinação de usinas siderúrgicas, todas se fundindo com o objetivo de desenvolver poder por meio de um esforço altamente organizado e coordenado.

Conhecimento de natureza geral e desorganizado não é PODER; é apenas poder em potencial – o material a partir do qual o poder real pode ser desenvolvido.

30 de setembro

Não se deve presumir que um MasterMind surgirá prontamente de cada grupo de mentes que fingem coordenação em um espírito de HARMONIA!

A harmonia é o núcleo em torno do qual deve se desenvolver o estado de espírito conhecido como MasterMind. Sem esse elemento de harmonia não pode haver MasterMind – uma verdade que nunca é demais repetir.

OUTUBRO

❦

O décimo passo para a riqueza

O MISTÉRIO DA TRANSMUTAÇÃO DO SEXO

1º de outubro

O significado da palavra *transmutar* é, em linguagem simples, "a mudança ou transferência de um elemento, ou forma de energia, para outro".

A emoção do sexo cria um estado de espírito. Por causa da ignorância sobre o assunto, esse estado de espírito é geralmente associado ao físico, e por causa de influências impróprias, às quais a maioria das pessoas foi submetida ao adquirir conhecimento sobre sexo, coisas essencialmente físicas influenciaram fortemente a mente.

Por trás da emoção do sexo há três possibilidades construtivas:

1. A perpetuação da humanidade.
2. A manutenção da saúde (como agente terapêutico, não tem igual).
3. A transformação da mediocridade em genialidade por meio da transmutação.

2 de outubro

A transmutação do sexo é simples e fácil de explicar. Significa a mudança na mente de pensamentos de expressão física para pensamentos de alguma outra natureza.

O desejo sexual é o mais poderoso dos desejos humanos. Movidos por esse desejo, os homens desenvolvem agudeza de imaginação, coragem, força de vontade, persistência e capacidade criativa desconhecida para eles em outras épocas.

3 de outubro

Tão forte e motivador é o desejo de contato sexual que os homens põem em risco vida e reputação para satisfazê-lo. Quando aproveitada e redirecionada em outras linhas, essa força motivadora mantém todos os seus atributos de agudeza de imaginação, coragem etc., que podem ser usados como poderosas forças criativas na literatura, na arte ou em qualquer outra profissão ou vocação, incluindo, é claro, o acúmulo de riquezas.

4 de outubro

A transmutação da energia sexual exige o exercício da força de vontade, certamente, mas a recompensa vale o esforço. O desejo de expressão sexual é inato e natural. O desejo não pode e não deve ser suplantado ou eliminado. Mas deve ter uma válvula de escape por formas de expressão que enriqueçam o corpo, a mente e o espírito do homem. Se não tiver essa válvula de escape pela transmutação, ele buscará saídas por canais puramente físicos.

5 de outubro

Um rio pode ser represado e ter sua água controlada por um tempo, mas vai acabar forçando uma saída. Isso também se aplica à emoção do sexo. Pode ser sufocada e controlada por um tempo, mas sua própria natureza faz com que esteja sempre buscando meios de expressão. Se não for transmutada em algum esforço criativo, encontrará uma saída menos digna.

Afortunada, de fato, é a pessoa que descobriu como dar uma saída à emoção sexual por alguma forma de esforço criativo, pois, com essa descoberta, elevou-se ao status de gênio.

6 de outubro

Uma pesquisa científica revelou estes fatos significativos:

1. Os homens de maior realização são aqueles com natureza sexual altamente desenvolvida – homens que aprenderam a arte da transmutação do sexo.
2. Os homens que acumularam grandes fortunas e alcançaram notáveis reconhecimentos na literatura, na arte, na indústria, na arquitetura e nas profissões foram motivados pela influência de uma mulher.

A pesquisa a partir da qual essas descobertas surpreendentes foram feitas remonta às páginas de biografias e história por mais de dois mil anos. Onde quer que houvesse evidência disponível em conexão com a vida de homens e mulheres de grandes realizações, ela indicava da forma mais convincente que essas pessoas tinham natureza sexual altamente desenvolvida.

7 de outubro

A emoção do sexo é uma "força irresistível" contra a qual não pode haver oposição como um "corpo imóvel". Movidos por essa emoção, os homens se tornam dotados de um superpoder de ação. Entenda esta verdade e você compreenderá o significado da afirmação de que a transmutação sexual eleva a pessoa ao status de gênio.

8 de outubro

A emoção do sexo contém o segredo da capacidade criativa. Destrua as glândulas sexuais, seja no homem ou no animal, e você terá removido a principal fonte de ação. Para comprovar, observe o que acontece com qualquer animal depois de castrado. Um touro torna-se tão dócil quanto uma vaca depois de ter sido alterado sexualmente. A alteração sexual tira do macho, seja homem ou animal, toda a força de luta que há nele. A alteração sexual na fêmea tem o mesmo efeito.

9 de outubro

A mente humana responde a estímulos pelos quais pode ser "sintonizada" com elevados ritmos de vibração, conhecidos como entusiasmo, imaginação criativa, desejo intenso etc. Os estímulos aos quais a mente responde mais livremente são:

1. O desejo de expressão sexual.
2. Amor.
3. Um desejo ardente de fama, poder ou ganho financeiro, dinheiro.
4. Música.
5. Amizade entre pessoas do mesmo sexo ou do sexo oposto.
6. Uma aliança MasterMind baseada na harmonia de duas ou mais pessoas que se aliam para um avanço espiritual ou temporal.
7. Sofrimento recíproco, como o dos perseguidos.
8. Autossugestão.
9. Medo.
10. Narcóticos e álcool.

10 de outubro

O desejo de expressão sexual está no topo da lista de estímulos que efetivamente "aumentam" as vibrações da mente e acionam as "engrenagens" da ação física. Oito desses estímulos (*ver lista em 9 de outubro*) são naturais e construtivos. Dois são destrutivos. A lista é apresentada aqui com o propósito de permitir que você faça um estudo comparativo das principais fontes de estimulação da mente. A partir desse estudo, será prontamente visto que a emoção do sexo é, muito provavelmente, o mais intenso e poderoso de todos os estímulos mentais.

Essa comparação é necessária como base para provar a afirmação de que a transmutação da energia sexual pode elevar alguém ao status de gênio.

11 de outubro

Vamos descobrir o que constitui um gênio.

Algum espertinho disse que gênio é um homem que "usa cabelos compridos, come comida estranha, mora sozinho e serve de alvo para chacotas". Uma definição melhor seria: "gênio é um homem que descobriu como aumentar as vibrações do pensamento a ponto de poder se comunicar livremente com fontes de conhecimento não disponíveis para o ritmo normal".

12 de outubro

O vendedor que sabe desviar a mente dos assuntos ligados ao sexo e direcioná-la para o esforço de vendas com o mesmo entusiasmo e a mesma determinação que dedicaria ao propósito original dominou a arte da transmutação do sexo – quer ele saiba disso ou não. A maioria dos vendedores que transmutam sua energia sexual faz isso sem ter a menor consciência do que está fazendo ou de como está fazendo.

13 de outubro

A "genialidade" é desenvolvida pelo sexto sentido. A existência de um sexto sentido foi muito bem estabelecida. Esse sexto sentido é a Imaginação Criativa. A faculdade da imaginação criativa é aquela que a maioria das pessoas nunca usa durante toda a vida e, se usa, geralmente é por mero acaso. Mas um número relativamente pequeno de pessoas a usa, com deliberação e propósito premeditado. Aqueles que a utilizam voluntariamente e compreendem suas funções são gênios.

14 de outubro

A faculdade da imaginação criativa é a ligação direta entre a mente finita do homem e a Inteligência Infinita. Todas as chamadas "revelações" mencionadas no âmbito religioso e todas as descobertas de princípios básicos ou novos no campo das invenções ocorrem por meio da faculdade da imaginação criativa.

15 de outubro

Quando ideias ou conceitos surgem na mente de alguém, por meio do que é popularmente chamado de "palpite", chegam de uma ou mais das seguintes fontes:

1. Inteligência Infinita.
2. A mente subconsciente de uma pessoa, na qual estão armazenadas todas as impressões sensoriais e impulsos de pensamento que já atingiram o cérebro por meio de qualquer um dos cinco sentidos.
3. Da mente de outra pessoa que acabou de liberar o pensamento, ou imagem da ideia ou conceito, por meio do pensamento consciente.
4. Do armazém subconsciente de outra pessoa.

Não há outras fontes conhecidas das quais ideias inspiradas, ou palpites, possam ser recebidas.

16 de outubro

A imaginação criativa funciona melhor quando a mente está vibrando (devido a alguma forma de estimulação mental) em um ritmo extremamente alto, isto é, quando a mente está funcionando com uma taxa de vibração mais alta que a do pensamento comum e normal.

Quando a ação cerebral é estimulada, por meio de um ou mais dos dez estimulantes da mente, ela tem o efeito de elevar o indivíduo muito além do horizonte do pensamento comum e permite que ele visualize a distância, o escopo e a qualidade dos pensamentos não disponíveis no plano inferior, como aqueles que surgem enquanto se está empenhado na solução dos problemas da rotina empresarial e profissional.

17 de outubro

Quando elevado a este nível superior de pensamento, por meio de qualquer forma de estimulação mental, um indivíduo ocupa, relativamente, a mesma posição de alguém que subiu a bordo de um avião a uma altura da qual pode ver além da linha do horizonte, que limita sua visão quando está no chão. Além disso, enquanto está nesse nível superior de pensamento, o indivíduo não é impedido ou limitado por nenhum dos estímulos que circunscrevem e limitam sua visão enquanto lida com os problemas de suprir as três necessidades básicas de alimentação, vestuário e abrigo. Ele está em um mundo no qual os pensamentos comuns do dia a dia são tão efetivamente removidos quanto as colinas e vales e outras limitações da visão física, quando ele viaja de avião.

18 de outubro

Nesse elevado plano de pensamento, a faculdade criativa da mente tem liberdade para agir. O caminho está aberto para o funcionamento do sexto sentido; ela se torna receptiva a ideias que não poderiam atingir o indivíduo em nenhuma outra circunstância. O sexto sentido é a faculdade que marca a diferença entre um gênio e um indivíduo comum.

Quanto mais essa faculdade é usada, e quanto mais o indivíduo confia nela e exige dela impulsos de pensamento, mais a faculdade criativa torna-se alerta e receptiva às vibrações originadas fora da mente subconsciente do indivíduo. Essa faculdade pode ser cultivada e desenvolvida apenas pelo uso.

19 de outubro

Aquilo que é conhecido como "consciência" opera inteiramente por meio da faculdade do sexto sentido.
    Os grandes artistas, escritores, músicos e poetas tornaram-se grandes porque adquiriram o hábito de confiar na "voz mansa e delicada" que fala de dentro, por meio da faculdade da imaginação criativa. É um fato bem conhecido que as melhores ideias das pessoas de imaginação "aguçada" surgem por meio dos chamados palpites.

20 de outubro

Existe um grande orador que não alcança a grandiosidade até fechar os olhos e começar a confiar inteiramente na faculdade da Imaginação Criativa. Quando perguntaram por que fechava os olhos pouco antes do clímax de sua oratória, ele respondeu: "Eu faço isso, porque assim falo por meio de ideias que vêm de dentro de mim".

Um dos financistas mais bem-sucedidos e conhecidos dos Estados Unidos tinha o hábito de fechar os olhos por dois ou três minutos antes de tomar uma decisão. Quando perguntaram por que fazia isso, ele respondeu: "Com os olhos fechados, sou capaz de recorrer a uma fonte de inteligência superior".

21 de outubro

Dr. Elmer R. Gates criou mais de duzentas patentes úteis valendo-se do processo de cultivo e uso da faculdade criativa. Seu método é significativo e interessante para alguém interessado em alcançar o status de gênio.

Em seu laboratório, ele tinha o que chamava de "sala de comunicação pessoal". Era equipada com uma mesinha na qual ele mantinha um bloco de papel para escrever. Quando o Dr. Gates queria utilizar as forças disponíveis a ele por meio da imaginação criativa, entrava nessa sala, sentava-se à mesa, apagava as luzes e concentrava-se nos fatores conhecidos da invenção em que estava trabalhando, permanecendo nessa posição até que começassem a "reluzir" em sua mente as ideias relacionadas aos fatores desconhecidos da invenção.

Em uma ocasião, as ideias surgiram tão rápido que ele foi forçado a escrever por quase três horas. Quando os pensamentos pararam de fluir e ele examinou as anotações, descobriu que continham uma descrição minuciosa de princípios que não tinham paralelo com dados conhecidos do mundo científico. Além disso, a resposta ao seu problema foi apresentada de forma inteligente nessas notas. Dessa forma, o Dr. Gates concluiu mais de duzentas patentes.

22 de outubro

A faculdade do raciocínio é muitas vezes falha, porque é amplamente guiada pela experiência acumulada da pessoa.

Nem todo conhecimento que se acumula por meio da "experiência" é exato. As ideias recebidas por intermédio da faculdade criativa são muito mais confiáveis, porque vêm de fontes mais confiáveis do que qualquer outra disponível à faculdade mental do raciocínio.

A principal diferença entre o gênio e o inventor "excêntrico" comum talvez seja que o gênio trabalha por meio de sua faculdade de imaginação criativa, enquanto o "excêntrico" nada sabe sobre essa faculdade. O inventor científico faz uso das faculdades sintéticas e criativas da imaginação.

23 de outubro

O inventor científico, ou gênio, inicia uma invenção organizando e combinando as ideias conhecidas, ou princípios acumulados pela experiência, por meio da faculdade sintética (a faculdade do raciocínio). Se ele achar que esse conhecimento acumulado é insuficiente para a conclusão da invenção, recorre às fontes de conhecimento a ele disponíveis por meio da faculdade *criativa*. O método pelo qual ele faz isso varia de acordo com o indivíduo, mas estes são o resumo e a essência do procedimento:

1. Ele estimula a mente para que ela vibre em um plano acima da média usando um ou mais dos dez estimulantes mentais, ou algum outro estimulante de sua escolha.
2. Ele se concentra nos fatores conhecidos (a parte concluída) da invenção e cria em sua mente uma imagem perfeita dos fatores desconhecidos (a parte inacabada) da invenção. Ele mantém essa imagem em mente até que ela seja absorvida pela mente subconsciente, depois relaxa, limpa todos os pensamentos e espera que a resposta surja como um "flash" em sua cabeça.

Às vezes, os resultados são definitivos e imediatos. Em outras, os resultados são negativos, dependendo do estado de desenvolvimento do "sexto sentido", ou faculdade criativa.

24 de outubro

Há muitas evidências confiáveis da existência da faculdade da imaginação criativa. São evidências disponíveis por meio de uma análise precisa de homens que se tornaram líderes em suas respectivas vocações sem terem recebido uma vasta educação formal. Lincoln foi um exemplo notável de grande líder que alcançou a grandeza por ter descoberto e usado a faculdade de imaginação criativa. Ele descobriu e começou a usar essa faculdade por causa do estímulo do amor que sentiu depois de conhecer Anne Rutledge – uma declaração da mais alta importância em relação ao estudo da fonte da genialidade.

25 de outubro

A intemperança nos hábitos sexuais é tão prejudicial quanto a intemperança ao comer e beber. Nessa época em que vivemos, uma era que começou com a Guerra Mundial, é comum a intemperança nos hábitos sexuais. Essa orgia de indulgência pode explicar a escassez de grandes líderes. Nenhum homem pode valer-se das forças de sua imaginação criativa enquanto as dissipa. O homem é a única criatura na terra que viola o propósito da Natureza a esse respeito. Todos os outros animais satisfazem sua natureza sexual com moderação e com um propósito que se harmoniza com as leis da Natureza. Todos os outros animais respondem ao chamado do sexo apenas na "temporada". A inclinação do homem é declarar a "temporada aberta".

Toda pessoa inteligente sabe que a estimulação excessiva por meio de bebidas alcoólicas e narcóticos é uma forma de intemperança que destrói os órgãos vitais do corpo, inclusive o cérebro. Nem todas as pessoas sabem, porém, que a excessiva indulgência na expressão sexual pode se tornar um hábito tão destrutivo e prejudicial ao esforço criativo quanto os narcóticos ou as bebidas alcoólicas.

26 de outubro

A mente humana responde à estimulação! O impulso sexual está entre os maiores e mais poderosos desses estímulos. Quando controlada e transmutada, essa força motriz é capaz de elevar os homens àquela esfera superior de pensamento que os capacita a dominar as fontes de preocupação e pequenos aborrecimentos que cercam seu caminho no plano inferior.

Infelizmente, apenas os gênios fizeram essa descoberta. Outros aceitaram a experiência do desejo sexual sem descobrir uma de suas maiores potencialidades – fato que explica o grande número de "outros" em comparação com o número limitado de gênios.

27 de outubro

O caminho para a genialidade consiste no desenvolvimento, controle e uso de sexo, amor e romance. Resumidamente, o processo pode ser descrito da seguinte forma:

Estimule a presença dessas emoções como pensamentos dominantes na mente de alguém e desestimule a presença de todas as emoções destrutivas. A mente é uma criatura de hábitos. Ela prospera com os pensamentos *dominantes* que a alimentam. Por meio da faculdade da força de vontade, pode-se desencorajar a presença de uma emoção e encorajar a presença de qualquer outra. O controle da mente pelo poder da vontade não é difícil. O controle vem da persistência e do hábito. O segredo do controle está na compreensão do processo de transmutação. Quando qualquer emoção negativa se apresenta na mente de alguém, ela pode ser transmutada em uma emoção positiva ou construtiva pelo simples procedimento de mudança dos pensamentos da pessoa.

28 de outubro

A energia sexual é a energia criativa de todos os gênios. *Nunca houve e nunca haverá um grande líder, construtor ou artista sem essa força motriz do sexo.*

Certamente ninguém interpretará mal essas afirmações, como se significassem que todos que são altamente sexualizados são geniais! O homem atinge o status de gênio apenas quando, e se, estimula a mente de modo que ela recorra às forças disponíveis, por meio da faculdade criativa da imaginação. O principal entre os estímulos com os quais esse "aumento" das vibrações pode ser produzido é a energia sexual. Simplesmente ter essa energia não é suficiente para produzir um gênio. A energia deve ser *transmutada* do desejo de contato físico em alguma outra forma de desejo e ação, antes de elevar alguém ao status de gênio.

Longe de se tornarem gênios por causa de grandes desejos sexuais, a maioria dos homens se *rebaixa*, por incompreensão e mau uso dessa grande força, ao status de animais inferiores.

29 de outubro

Os homens raramente conseguem chegar ao sucesso antes dos quarenta anos. A partir da análise de mais de 25 mil pessoas, descobri que os homens que têm um sucesso notável raramente o alcançam antes dos quarenta anos e, mais frequentemente, não chegam ao seu ritmo real até bem depois dos cinquenta anos. Esse fato foi tão surpreendente que me levou a estudar sua causa com mais cuidado, investigando-o por um período de mais de doze anos.

Esse estudo revelou que a principal razão para a maioria dos homens bem-sucedidos não chegar ao sucesso antes dos quarenta a cinquenta anos de idade é a tendência para dissipar suas energias pelo excesso de expressão física da emoção do sexo. A maioria dos homens *nunca* aprende que o desejo sexual tem outras possibilidades que transcendem em importância a da mera expressão física. A maioria só descobre essa verdade *depois de ter perdido muitos anos* em um período em que a energia sexual está no auge, antes dos quarenta e cinco a cinquenta anos. Geralmente, depois disso vem uma conquista notável.

A vida de muitos homens até os quarenta anos, e às vezes bem depois disso, reflete uma dissipação contínua de energias que poderiam ter sido mais lucrativamente transformadas se dirigidas por melhores canais. Suas emoções mais sutis e poderosas são lançadas de forma descontrolada aos quatro ventos.

30 de outubro

O desejo de expressão sexual é, de longe, a mais forte e motivadora de todas as emoções humanas, e por isso mesmo, quando *aproveitado e transmutado* em ação diferente da expressão física, esse desejo pode elevar alguém ao status de gênio.

A natureza preparou as próprias fórmulas com as quais os homens podem estimular a mente com segurança para que esta vibre em um plano que lhes permita sintonizar os pensamentos bons e raros que ninguém sabe de onde vêm! Nenhum substituto satisfatório para os estimulantes da Natureza jamais foi encontrado.

As emoções humanas governam o mundo e estabelecem o destino das civilizações. As pessoas são influenciadas em suas ações muito menos pela razão do que pelos seus "sentimentos". A faculdade criativa da mente é colocada em ação inteiramente pelas emoções, e *não pela fria razão*. A mais poderosa de todas as emoções humanas é a do sexo. Existem outros estimulantes da mente, alguns deles já relacionados, mas nenhum pode se igualar ao poder motivador do sexo.

31 de outubro

Não há outro caminho para a genialidade senão pelo esforço voluntário! Um homem pode atingir grandes patamares de realização financeira ou comercial, unicamente pela força motriz da energia sexual, mas a história está repleta de evidências de que ele pode carregar certos traços de caráter que o privam da capacidade de manter ou desfrutar de sua fortuna.

A emoção do amor revela e desenvolve a natureza artística e estética do homem. Deixa sua marca na alma da pessoa, mesmo depois que o fogo foi abafado pelo tempo e pelas circunstâncias.

O amor é, sem dúvida, a maior experiência da vida. Leva a pessoa à comunhão com a Inteligência Infinita. Quando associado às emoções do romance e do sexo, pode elevar alguém muito alto no patamar do esforço criativo. As emoções de amor, sexo e romance são os lados do eterno triângulo do gênio construtor de conquistas. A natureza não cria gênios por nenhuma outra força.

NOVEMBRO

O décimo primeiro e o décimo
segundo passo para a riqueza

A MENTE SUBCONSCIENTE – O CÉREBRO

1º de novembro

O subconsciente consiste em um campo de consciência no qual todo impulso de pensamento que chega à mente objetiva por qualquer um dos cinco sentidos é classificado e registrado, e do qual os pensamentos podem ser recuperados ou retirados – como documentos em um arquivo. Ele recebe e arquiva impressões sensoriais ou pensamentos, independentemente de sua natureza. Você pode plantar voluntariamente no subconsciente qualquer plano, pensamento ou propósito que deseja traduzir em seu equivalente físico ou monetário.

2 de novembro

O subconsciente age primeiro sobre os desejos dominantes que foram misturados a sentimentos emocionais, como a fé. A mente subconsciente trabalha dia e noite. Por meio de um método de procedimento desconhecido pelo homem, a mente subconsciente atrai as forças da Inteligência Infinita para o poder com o qual ela transmuta voluntariamente os desejos de alguém em seu equivalente físico, fazendo uso sempre dos meios mais práticos pelos quais este fim pode ser alcançado.

3 de novembro

Você não pode controlar *inteiramente* a mente subconsciente, mas pode entregar a ela qualquer plano, desejo ou propósito que deseje materializar. Há muitas evidências que apoiam a crença de que o subconsciente é o elo entre a mente finita do homem e a Inteligência Infinita. É o intermediário pelo qual se pode recorrer livremente às forças da Inteligência Infinita. Somente o subconsciente contém o processo secreto pelo qual os impulsos mentais são modificados e transformados em seu equivalente espiritual. Somente ele é o meio pelo qual uma oração pode ser transmitida à fonte capaz de respondê-la.

4 de novembro

As possibilidades de esforço criativo conectadas à mente subconsciente são estupendas e imponderáveis. Inspiram admiração.

Nunca abordo a discussão da mente subconsciente sem um sentimento de pequenez e inferioridade devido, talvez, a todo o conhecimento do homem sobre esse assunto ser lamentavelmente limitado. O fato de a mente subconsciente ser o meio de comunicação entre a mente pensante do homem e a Inteligência Infinita é, por si só, uma ideia que quase paralisa a razão.

5 de novembro

Depois de aceitar, como realidade, a existência da mente subconsciente e entender suas possibilidades como um meio para transmutar desejos em seu equivalente físico ou monetário, você vai compreender todo o significado das instruções dos seis passos no início deste livro. Você também vai entender por que foi alertado tantas vezes a deixar seus desejos claros e escrevê-los. E também vai compreender a necessidade de persistir na execução das instruções.

Os treze princípios são os estímulos com os quais você adquire a habilidade de alcançar e influenciar a mente subconsciente. Não desanime se não conseguir na primeira tentativa. Lembre-se de que a mente subconsciente pode ser dirigida voluntariamente *apenas por meio do hábito*. Você ainda não teve tempo de dominar a fé. Seja paciente. Seja persistente.

6 de novembro

*L*embre-se de que a mente subconsciente funciona por conta própria, *quer você faça algum esforço para influenciá-la ou não.* Isso, naturalmente, sugere que os pensamentos de medo e pobreza e todos os pensamentos negativos servem como estímulos para a mente subconsciente, a menos que você domine esses impulsos e dê a ela um alimento mais desejável.

7 de novembro

A mente subconsciente não fica ociosa! Se você deixar de plantar desejos, ela se alimentará dos pensamentos que chegarem como *resultado de sua negligência*. Já explicamos que os impulsos de pensamento, tanto negativos quanto positivos, chegam à mente subconsciente de maneira contínua.

Lembre-se de que você vive *diariamente* em meio a todos os tipos de impulsos de pensamento, que atingem a mente subconsciente sem o seu conhecimento. Alguns desses impulsos são negativos; alguns são positivos. Agora você está empenhado em tentar colaborar para interromper o fluxo de impulsos negativos e ajudar a influenciar de maneira voluntária a mente subconsciente por meio de impulsos positivos de desejo. Quando conseguir, você vai ter a chave que abre a porta para o subconsciente e vai controlar essa porta tão completamente que nenhum pensamento indesejável poderá exercer influência sobre seu subconsciente.

8 de novembro

Tudo que o homem cria começa na forma de um impulso de pensamento. O homem não pode criar nada que não conceba primeiro em pensamento. Com a ajuda da imaginação, os impulsos de pensamento podem ser reunidos em planos. A imaginação, quando controlada, pode ser utilizada para a criação de planos ou propósitos que levem ao sucesso na vocação escolhida.

9 de novembro

Todos os impulsos de pensamento destinados à transmutação em seu equivalente físico plantados voluntariamente na mente subconsciente devem passar pela imaginação e ser misturados à fé. A "mistura" da fé com um plano, ou propósito, destinada à submissão ao subconsciente, só pode ser feita por meio da imaginação. Você vai notar prontamente que o uso voluntário da mente subconsciente requer coordenação e aplicação de todos os princípios.

10 de novembro

Ella Wheeler Wilcox deu provas de sua compreensão do poder da mente subconsciente quando escreveu:

> Não se pode saber o que um pensamento fará
> Para trazer ódio ou amor
> Pois pensamentos são coisas, e suas asas
> São mais rápidas que as de um pombo-correio.
> Eles seguem a lei do universo
> Cada coisa cria seu semelhante,
> E aceleram para trazer de volta
> O que quer que tenha saído da sua mente.

A Sra. Wilcox entendeu que os pensamentos que saem da mente de uma pessoa também se enraízam profundamente na mente subconsciente, e lá funcionam como um ímã, padrão ou projeto pelo qual a mente subconsciente é influenciada ao traduzi-los em seu equivalente físico. Os pensamentos são realmente coisas, porque toda coisa material começa na forma de energia de pensamento.

11 de novembro

A mente subconsciente é mais suscetível à influência de impulsos do pensamento misturados com "sentimento" ou emoção do que daqueles que se originam apenas na parte racional da mente. Na verdade, há muitas evidências que apoiam a teoria de que apenas os pensamentos emocionalizados têm alguma influência sobre a mente subconsciente. Sabe-se que a emoção e o sentimento governam a maioria das pessoas. Se é verdade que a mente subconsciente responde mais depressa e é mais facilmente influenciada por impulsos de pensamento que estão bem misturados com emoções, é essencial familiarizar-se com a mais importante das emoções.

12 de novembro

As emoções negativas injetam-se *voluntariamente* nos impulsos do pensamento, o que garante a passagem para a mente subconsciente. As emoções positivas devem ser injetadas, por meio do princípio da autossugestão, nos impulsos de pensamento que um indivíduo deseja transmitir ao subconsciente.

Essas emoções, ou impulsos de sentimento, constituem o elemento de ação, o que transforma os impulsos de pensamento do estado passivo para o estado ativo. Assim, pode-se entender por que os impulsos de pensamento que foram bem misturados com a emoção são acionados mais prontamente do que os impulsos de pensamento com origem na "razão fria".

13 de novembro

Você está se preparando para influenciar e controlar o "público interno" de sua mente subconsciente, a fim de entregar a ele o desejo por dinheiro, que você quer transmutar em seu equivalente monetário. É essencial, portanto, que entenda o método de abordagem desse "público interno". Você tem que falar a língua dele, ou ele não atenderá ao seu chamado. Ele entende melhor a linguagem da emoção ou do sentimento.

14 de novembro

AS SETE PRINCIPAIS EMOÇÕES POSITIVAS

1. A emoção do desejo.
2. A emoção da fé.
3. A emoção do amor.
4. A emoção do sexo.
5. A emoção do entusiasmo.
6. A emoção do romance.
7. A emoção da esperança.

Existem outras emoções positivas, mas essas são as sete mais poderosas e as mais comumente usadas no esforço criativo. Domine essas sete emoções (elas só podem ser dominadas pelo uso), e as outras emoções positivas estarão sob seu comando quando você precisar delas. Lembre-se, a esse respeito, de que você está estudando um livro cujo objetivo é ajudá-lo a desenvolver uma "consciência monetária", *preenchendo sua mente com emoções positivas.*

15 de novembro

AS SETE EMOÇÕES NEGATIVAS PRINCIPAIS

(a serem evitadas)

1. A emoção do medo.
2. A emoção do ciúme.
3. A emoção do ódio.
4. A emoção da vingança.
5. A emoção da ganância.
6. A emoção da superstição.
7. A emoção da raiva.

Emoções positivas e negativas não podem ocupar a mente ao mesmo tempo. Uma das duas deve dominar. Ninguém se torna consciente do dinheiro enchendo a mente com emoções negativas.

16 de novembro

É sua responsabilidade garantir que as emoções positivas constituam a influência dominante de sua mente. Aqui a lei do hábito virá em seu auxílio. *Crie o hábito* de aplicar e usar as emoções positivas! Em algum momento, elas dominarão sua mente tão completamente que as negativas *não poderão entrar*.

17 de novembro

A presença de um único pensamento negativo em sua mente consciente é suficiente para *destruir* todas as chances de ajuda construtiva da mente subconsciente.

Se você é uma pessoa observadora, deve ter notado que a maioria das pessoas recorre à oração somente depois que tudo o mais falhou! Ou, então, oram com um ritual de palavras sem sentido. E porque a maioria das pessoas que reza só recorre à oração depois que tudo falhou, elas rezam com a mente cheia de medo e dúvida, *que são as emoções a partir das quais a mente subconsciente age,* e que são transmitidas para a Inteligência Infinita. Da mesma forma, essas são as emoções que a Inteligência Infinita recebe e a partir das quais age. Se você for orar por alguma coisa, mas tiver medo de não receber o que pede, ou de não ser atendido pela Inteligência Infinita, sua oração *terá sido em vão.*

18 de novembro

A oração, às vezes, resulta na realização daquilo pelo que se ora. Se você já teve a experiência de receber aquilo que pediu, relembre o estado de espírito em que se encontrava ao rezar, e saberá, com certeza, que a teoria aqui descrita é mais do que uma teoria.

19 de novembro

Chegará o tempo em que as escolas e instituições educacionais do país ensinarão a "ciência da oração". Depois disso, a oração poderá ser, e será, reduzida a uma ciência. Quando esse momento chegar, ninguém vai se aproximar da Mente Universal em estado de medo, porque não haverá emoção como o medo. Ignorância, superstição e falsos ensinamentos terão desaparecido, e o homem terá alcançado sua verdadeira condição de filho da Inteligência Infinita. Alguns já alcançaram esta bênção.

Se você acredita que esta profecia é exagerada, dê uma olhada na raça humana no passado. Menos de cem anos atrás, os homens acreditavam que o raio era uma evidência da ira de Deus e o temiam. Agora, graças ao poder da fé, os homens aproveitaram o raio e o usaram para fazer girar as rodas da indústria.

20 de novembro

Não há barreiras entre a mente finita do homem e a Inteligência Infinita. A comunicação requer apenas paciência, fé, persistência, compreensão e um desejo sincero de se comunicar. Além disso, a abordagem só pode ser feita pelo próprio indivíduo. Orações pagas são inúteis. A Inteligência Infinita não faz negócios por procuração. Ou você se comunica de maneira direta, ou não se comunica.

Você pode comprar livros de orações e repetir todas elas até o dia do juízo sem sucesso. Os pensamentos que você quer comunicar à Inteligência Infinita devem passar por uma transformação que só pode acontecer por meio de sua mente subconsciente.

21 de novembro

O método pelo qual você pode se comunicar com a Inteligência Infinita é muito semelhante àquele pelo qual a vibração do som é transmitida pelo rádio. Se você entender o princípio de funcionamento do rádio, certamente saberá que o som não pode ser transmitido através do éter até que seja "aumentado" ou alterado para uma taxa de vibração que o ouvido humano não pode detectar. A estação transmissora de rádio capta o som da voz humana e "embaralha", ou modifica, intensificando a vibração milhões de vezes. Somente assim a vibração do som pode ser comunicada através do éter. Depois que essa transformação ocorre, o éter "capta" a energia (que originalmente estava na forma de vibrações sonoras), carrega essa energia para as estações receptoras de rádio, e essas estações receptoras "baixam" essa energia de volta para sua taxa original de vibração para que seja reconhecida como som.

22 de novembro

A mente subconsciente é a intermediária que traduz as orações da pessoa em termos que a Inteligência Infinita possa reconhecer, apresenta a mensagem e traz de volta a resposta na forma de um plano ou ideia definida para obter o objeto da oração. Compreenda esse princípio e saberá por que meras palavras lidas em um livro de orações não podem servir e nunca servirão como um meio de comunicação entre a mente do homem e a Inteligência Infinita.

Antes que sua oração alcance a Inteligência Infinita (uma declaração da teoria do autor, apenas), ela provavelmente é transformada de sua vibração de pensamento original para vibração espiritual. A fé é o único agente conhecido que dará aos seus pensamentos uma natureza espiritual. A fé e o medo são péssimos companheiros de cama. *Onde um é encontrado, o outro não pode existir.*

23 de novembro

Há mais de vinte anos, o autor, trabalhando em conjunto com o falecido Dr. Alexander Graham Bell e o Dr. Elmer R. Gates, observou que todo cérebro humano é uma estação transmissora e receptora da vibração do pensamento.

Por meio do éter, de maneira semelhante à empregada pelo princípio da radiodifusão, todo cérebro humano é capaz de captar vibrações de pensamento que estão sendo liberadas por outros cérebros.

24 de novembro

Em relação à afirmação do dia anterior, compare e considere a descrição da Imaginação Criativa. A Imaginação Criativa é o "aparelho receptor" do cérebro, que recebe os pensamentos liberados pelos cérebros dos outros. É o agente de comunicação entre a mente consciente ou racional de uma pessoa e as quatro fontes das quais a pessoa pode receber estímulos de pensamento.

25 de novembro

Quando estimulada ou "elevada" a um alto grau de vibração, a mente se torna mais receptiva à vibração do pensamento que a atinge através do éter a partir de fontes externas. Esse "aumento" ocorre por meio das emoções positivas ou das emoções negativas. As vibrações do pensamento podem ser aumentadas por meio das emoções. As vibrações de uma frequência excessivamente alta são as únicas captadas e transportadas pelo éter de um cérebro para outro. O pensamento é energia viajando a uma taxa de vibração extremamente alta. O pensamento, que foi modificado ou "intensificado" por qualquer uma das emoções principais, vibra em uma taxa muito mais alta do que o pensamento comum, e é esse tipo de pensamento que passa de um cérebro para outro por intermédio da máquina de transmissão do cérebro humano.

26 de novembro

A emoção do sexo está no topo da lista das emoções humanas no que diz respeito a intensidade e força motriz. O cérebro estimulado pela emoção do sexo vibra em um ritmo muito mais rápido do que quando essa emoção está inativa ou ausente. O resultado da transmutação sexual é o aumento da taxa de vibração dos pensamentos a tal ponto que a Imaginação Criativa se torna altamente receptiva às ideias que capta do éter. Por outro lado, quando o cérebro está vibrando em um ritmo rápido, ele não apenas atrai pensamentos e ideias liberados por outros cérebros por meio do éter, mas também dá aos próprios pensamentos aquela "sensação" que é essencial antes de eles serem captados e postos em ação pela mente subconsciente. Assim, você verá que o princípio da transmissão é o fator pelo qual você mistura sentimento, ou emoção, aos seus pensamentos e os transmite ao subconsciente.

27 de novembro

A mente subconsciente é a "estação emissora" do cérebro, pela qual as vibrações do pensamento são transmitidas. A Imaginação Criativa é o "aparelho receptor" que capta as vibrações do pensamento através do éter.

Juntamente dos importantes fatores da mente subconsciente e a faculdade da Imaginação Criativa, que constituem os conjuntos de envio e recepção da máquina de transmissão mental, considere agora o princípio da autossugestão, que é o meio pelo qual você pode colocar em operação sua estação de "transmissão".

A operação de sua estação mental de "transmissão" é um procedimento relativamente simples. São apenas três princípios para ter em mente e aplicar quando quiser usar sua estação de transmissão: a mente subconsciente, a imaginação criativa e a autossugestão.

28 de novembro

Grandes forças são "intangíveis". Ao longo das eras passadas, o homem dependeu demais dos sentidos físicos e limitou seu conhecimento às coisas físicas, que ele podia ver, tocar, pesar e medir.

Agora estamos entrando na mais maravilhosa de todas as eras, aquela que nos ensinará algo sobre as forças intangíveis do mundo ao nosso redor. Talvez aprendamos, ao passarmos por essa era, que o "outro eu" é mais poderoso do que o eu físico que vemos no espelho.

Às vezes, os homens falam de maneira leviana dos intangíveis – as coisas que não podem perceber por meio de nenhum dos cinco sentidos – e, quando ouvimos esses comentários, devemos nos lembrar de que *todos nós somos controlados por forças invisíveis e intangíveis.*

29 de novembro

A humanidade inteira não tem o poder de enfrentar ou controlar a força intangível contida nas ondas dos oceanos. O homem não tem a capacidade de compreender a intangível força da gravidade, que mantém este pequeno planeta suspenso no ar e impede que o homem caia dele, muito menos de controlar essa força. O homem é inteiramente subserviente à força intangível que vem com uma tempestade, e é igualmente impotente na presença da força intangível da eletricidade – não, ele nem mesmo sabe o que é eletricidade, de onde vem ou qual é o seu propósito!

Isso não representa de forma alguma o fim da ignorância do homem em relação às coisas invisíveis e intangíveis. Ele não entende a força intangível (e a inteligência) contida no solo da terra – *a força que provê cada alimento que ele come, cada roupa que veste, cada moeda que carrega em seus bolsos.*

30 de novembro

O homem, com toda a sua alardeada cultura e educação, pouco ou nada entende do maior de todos os intangíveis – *o pensamento*. Ele sabe muito pouco sobre o cérebro físico e sua vasta rede de complexas engrenagens pela qual o poder do pensamento é traduzido em seu equivalente material, mas agora está entrando em uma era que trará esclarecimento sobre o assunto. Os cientistas já descobriram conhecimento suficiente para saber que o painel central do cérebro humano, o número de fios que ligam as células cerebrais umas às outras, é igual ao algarismo um, seguido por quinze milhões de cifras.

É inconcebível que essa rede tão complexa exista com o único propósito de realizar as funções físicas inerentes ao crescimento e à manutenção do corpo físico. Não é provável que o mesmo sistema que fornece a bilhões de células cerebrais o meio de comunicação entre elas também forneça os meios de comunicação com outras forças intangíveis?

DEZEMBRO

O décimo terceiro passo para a riqueza

O SEXTO SENTIDO – COMO VENCER
OS SEIS FANTASMAS DO MEDO

1º de dezembro

O "décimo terceiro" princípio é conhecido como o sexto sentido, pelo qual a Inteligência Infinita pode se comunicar voluntariamente sem qualquer esforço ou exigência do indivíduo. Esse princípio é o ápice da filosofia. Ele pode ser assimilado, compreendido e aplicado apenas com o domínio anterior dos outros doze princípios.

O sexto sentido é aquela porção da mente subconsciente que foi chamada de Imaginação Criativa. Também foi mencionada como o "aparelho receptor" por meio do qual ideias, planos e pensamentos surgem na mente. Os "flashes" às vezes são chamados de "palpites" ou "inspirações".

2 de dezembro

O sexto sentido desafia a descrição! Não pode ser descrito a alguém que não tenha dominado os outros princípios desta filosofia, porque essa pessoa não tem nenhum conhecimento ou experiência com a qual o sexto sentido possa ser comparado.

A compreensão do sexto sentido vem apenas pela meditação e pelo desenvolvimento *interior*. O sexto sentido provavelmente é o meio de contato entre a mente finita do homem e a Inteligência Infinita e, por essa razão, *é uma mistura tanto do mental quanto do espiritual*. Acredita-se que seja o ponto em que a mente do homem entra em contato com a Mente Universal.

3 de dezembro

Com a ajuda do sexto sentido, você será alertado de perigos iminentes a tempo de evitá-los e notificado de oportunidades a tempo de agarrá-las. Com o desenvolvimento do sexto sentido, surge para ajudá-lo e servi-lo um "anjo da guarda" que sempre abrirá para você a porta do Templo da Sabedoria.

4 de dezembro

A Natureza *nunca se desvia de suas leis estabelecidas*. Algumas dessas leis são tão incompreensíveis que produzem o que parecem ser "milagres". O sexto sentido se aproxima mais de um milagre do que qualquer coisa que já experimentei, e parece que essa impressão se deve apenas ao fato de que não entendo o método pelo qual esse princípio é operado.

Existe um poder, ou uma Causa Primeira, ou uma Inteligência, que permeia cada átomo da matéria e abrange cada unidade de energia perceptível ao homem – que essa Inteligência Infinita transforma bolotas em carvalhos, faz com que a água escorra colina abaixo em resposta à lei da gravidade e faz a noite ser seguida pelo dia, e o inverno pelo verão, cada um mantendo seu devido lugar e relação com o outro. Essa Inteligência pode, por meio dos princípios dessa filosofia, ser induzida a auxiliar na transmutação de desejos em sua forma concreta ou material. O autor tem esse conhecimento porque o vivenciou e o experimentou.

5 de dezembro

Em algum lugar na estrutura celular do cérebro se localiza um órgão que recebe vibrações de pensamento comumente chamadas de "palpites". Até agora, a ciência não descobriu onde está localizado esse órgão do sexto sentido, mas isso não é importante. Persiste o fato de que os seres humanos recebem conhecimento preciso por meio de outras fontes além dos sentidos físicos. Tal conhecimento geralmente é recebido quando a mente está sob a influência de estímulos extraordinários. Qualquer emergência que desperte as emoções e faça o coração bater mais rápido do que o normal pode acionar o sexto sentido, e geralmente o aciona. Quem já passou por um quase acidente ao dirigir sabe que, nessas ocasiões, o sexto sentido muitas vezes socorre e ajuda, em frações de segundo, a evitar o acidente.

6 de dezembro

O sexto sentido não é algo que se possa tirar e colocar à vontade. A capacidade de usar esse grande poder vem aos poucos pela aplicação dos outros princípios descritos neste livro. Raramente algum indivíduo chega ao conhecimento funcional do sexto sentido antes dos quarenta anos. Mais frequentemente, o conhecimento não está disponível até que se tenha passado dos cinquenta, e isso porque as forças espirituais com as quais o sexto sentido está tão intimamente relacionado não amadurecem e se tornam utilizáveis, exceto com anos de meditação, autoconhecimento e séria reflexão.

Não importa quem você é, ou qual pode ter sido seu propósito ao ler este livro, você pode lucrar com isso sem entender este princípio. Isso é verdade, especialmente se o seu objetivo principal for acumular dinheiro ou outras coisas materiais.

7 de dezembro

O ponto de partida de toda conquista é o desejo. O ponto final é aquele tipo de conhecimento que leva à compreensão – compreensão de si mesmo, compreensão dos outros, compreensão das leis da Natureza, reconhecimento e compreensão da felicidade.

Esse tipo de compreensão chega à sua plenitude apenas pelo conhecimento e pelo uso do princípio do sexto sentido; portanto, esse princípio teve que ser incluído como parte desta filosofia para o benefício daqueles que demandam mais do que dinheiro.

8 de dezembro

Existem seis medos que são a causa de todo desânimo, timidez, procrastinação, indiferença, indecisão e falta de ambição, autoconfiança, iniciativa, autocontrole e entusiasmo. Existem seis medos básicos, e todo ser humano sofre em um momento ou outro com alguma combinação deles; a maioria tem sorte se não sofrer com todos. Relacionados em ordem de surgimento mais comum, são eles:

1. O medo da pobreza.
2. O medo da crítica.
3. O medo da doença.
4. O medo da perda do amor de alguém.
5. O medo da velhice.
6. O medo da morte.

Examine-se cuidadosamente ao estudar esses seis inimigos, pois eles podem existir apenas em sua mente subconsciente, onde sua presença será difícil de detectar.

Lembre-se, ao analisar os "Seis Fantasmas do Medo", que eles não são nada além de fantasmas, porque existem apenas na mente de alguém. Mas lembre-se também que esses fantasmas – criações da imaginação descontrolada – motivaram a maior parte dos danos que as pessoas causaram à própria mente; portanto, os fantasmas podem ser tão perigosos quanto se vivessem e andassem na terra em corpos físicos.

9 de dezembro

Antes que você possa ser bem-sucedido ao colocar em prática qualquer parte desta filosofia, sua mente deve estar preparada para recebê-la. A preparação não é difícil. Começa com estudo, análise e compreensão de três inimigos que você terá que eliminar.

São eles: indecisão, dúvida e medo!

O sexto sentido nunca funcionará enquanto esses três elementos negativos, ou qualquer um deles, permanecer em sua mente. Os membros desse trio profano são parentes próximos; onde um é encontrado, os outros dois estão por perto.

A indecisão é a sementinha do medo! Lembre-se disso enquanto lê. A indecisão se cristaliza em dúvida; ambas se misturam e se tornam o medo! O processo de "combinação" geralmente é lento. Esta é uma das razões pelas quais esses três inimigos são tão perigosos. Eles germinam e crescem *sem que sua presença seja observada.*

10 de dezembro

Antes de podermos dominar um inimigo, temos que descobrir seu nome, seus hábitos e onde mora. Ao ler, analise-se cuidadosamente e determine quais, se houver, dos seis medos comuns (*listados em 8 de dezembro*) se instalaram em você.

Não se deixe enganar pelos hábitos desses inimigos sutis. Às vezes, eles permanecem ocultos no subconsciente, onde são difíceis de localizar e ainda mais difíceis de eliminar.

11 de dezembro

A prevalência desses medos ocorre em ciclos, como uma maldição para o mundo. Por quase seis anos, durante a Grande Depressão, nos debatemos no ciclo do medo da Pobreza. Durante a guerra, estávamos no ciclo do medo da Morte. Logo após a guerra, estávamos no ciclo do medo da Doença, como evidenciado pelas epidemias que se espalharam por todo o mundo.

Os medos nada mais são que estados de espírito. O estado de espírito de uma pessoa está sujeito a controle e direção. Os médicos, como todos sabem, estão menos sujeitos ao ataque de doenças do que os leigos, porque os médicos não temem as doenças. Sem medo ou hesitação, os médicos mantêm contato físico com centenas de pessoas diariamente, pacientes de doenças contagiosas, sem serem infectados. Sua imunidade contra a doença consiste em grande parte, se não exclusivamente, de sua absoluta falta de medo.

12 de dezembro

O homem não pode criar nada que não conceba primeiro na forma de um impulso de pensamento. Por trás dessa afirmação vem outra de importância ainda maior, ou seja, os impulsos de pensamento do homem começam imediatamente a se traduzir em seu equivalente físico, sejam esses pensamentos voluntários ou involuntários. Os impulsos de pensamento que são captados por meio do éter por mero acaso (pensamentos que foram liberados por outras mentes) podem determinar o destino financeiro, comercial, profissional ou social de uma pessoa com tanta certeza quanto os impulsos de pensamento que alguém cria de maneira intencional e deliberada.

13 de dezembro

Estamos aqui lançando as bases para a apresentação de um fato de grande importância para aquele que não entende por que algumas pessoas parecem ser "sortudas", enquanto outras de igual ou maior habilidade, treinamento, experiência e capacidade mental parecem destinadas a conviver com o infortúnio. Esse fato pode ser explicado pela afirmação de que *todo ser humano tem a capacidade de controlar completamente a própria mente*, e com esse controle, obviamente, cada pessoa pode abrir a mente para os impulsos de pensamento errantes que vão sendo liberados por outros cérebros, ou fechar bem as portas e admitir apenas impulsos de pensamento de sua escolha.

14 de dezembro

A Natureza dotou o homem de controle absoluto sobre apenas uma coisa, que é o pensamento. Isso, adicionado ao fato de que tudo que o homem cria começa na forma de um pensamento, nos aproxima muito do princípio pelo qual o medo pode ser dominado.

Se é verdade que todo pensamento tende a se transformar em seu equivalente físico (e não há nenhuma dúvida sobre isso), também é verdade que os impulsos mentais de medo e pobreza não podem ser traduzidos em coragem e ganho financeiro.

O povo norte-americano começou a pensar na pobreza após a quebra de Wall Street, em 1929. Devagar, mas com firmeza, esse pensamento de massa foi cristalizado em seu equivalente físico, conhecido como "Grande Depressão". Isso tinha que acontecer; está de acordo com as leis da Natureza.

15 de dezembro

Não pode haver compromisso entre a pobreza e a riqueza! As estradas que levam à pobreza e à riqueza seguem em direções opostas. Se você quer riquezas, deve se recusar a aceitar qualquer circunstância que leve à pobreza. (A palavra *riqueza* é usada aqui em seu sentido mais amplo, significando bens financeiros, espirituais, mentais e materiais.) O ponto de partida do caminho que leva à riqueza é o desejo.

Aqui, então, é o lugar para se lançar um desafio que definitivamente determinará o quanto desta filosofia você absorveu. Aqui é o ponto em que você pode se tornar profeta e prever, com precisão, o que o futuro reserva para você. Se está disposto a aceitar a pobreza, já pode decidir recebê-la. Esta é uma decisão que você não pode evitar.

16 de dezembro

Se você exige riquezas, determine quais e quanto será necessário para satisfazê-lo. Você conhece o caminho que leva à riqueza. Você recebeu um roteiro que, se seguido, o manterá nessa estrada. Se negligenciar a largada ou parar antes da chegada, ninguém será culpado além de você. Essa responsabilidade é sua. Nenhum álibi o isentará de assumir a responsabilidade se falhar agora ou se recusar a exigir riquezas da Vida, porque a aceitação exige apenas uma coisa – aliás, a única coisa que você pode controlar –, e isso é um estado de espírito. Um estado de espírito é algo que se assume. Não pode ser comprado; ele deve ser criado.

17 de dezembro

O fantasma do medo da pobreza, que tomou conta da mente de milhões de pessoas em 1929, era tão real que causou a pior crise empresarial que a América já conheceu.

O medo da pobreza é um estado de espírito, nada mais! Mas é suficiente para destruir as chances de realização em qualquer empreendimento, uma verdade que se tornou dolorosamente evidente durante a Grande Depressão.

Esse medo paralisa a faculdade da razão, destrói a faculdade da imaginação, mata a autoconfiança, mina o entusiasmo, desencoraja a iniciativa, leva à incerteza de objetivo, incentiva a procrastinação, elimina o entusiasmo e torna impossível o autocontrole. Tira o encanto da personalidade, destrói a possibilidade de pensamento preciso, desvia a concentração do esforço; domina a persistência, reduz a força de vontade a nada, destrói a ambição, obscurece a memória e convida ao fracasso de todas as formas concebíveis; mata o amor e assassina as emoções mais sutis do coração, desestimula a amizade e convida ao desastre em uma centena de formas, leva à insônia, miséria e infelicidade – e tudo isso apesar da verdade óbvia de que vivemos em um mundo de superabundância de tudo que se poderia desejar, sem nada se interpor entre nós e nossos desejos, exceto a falta de um propósito definido.

18 de dezembro

O medo da pobreza é, sem dúvida, o mais destrutivo dos seis medos básicos. Foi colocado no topo da lista, porque é o mais difícil de dominar. É preciso ter uma coragem considerável para declarar a verdade sobre a origem desse medo e uma coragem ainda maior para aceitar essa verdade declarada. O medo da pobreza surgiu da tendência inerente do homem de saquear economicamente seu próximo. Quase todos os animais inferiores ao homem são motivados pelo instinto, mas sua capacidade de "pensar" é limitada; portanto, eles atacam um ao outro fisicamente. O homem, com sua intuição superior, com capacidade de pensar e raciocinar, não come fisicamente seu semelhante; ele obtém mais satisfação em "comê-lo" financeiramente. O homem é tão avarento que todas as leis concebíveis foram criadas para protegê-lo de seus semelhantes.

Nada traz tanto sofrimento e humildade ao homem quanto a pobreza! Só quem experimentou a pobreza entende o significado disso.

19 de dezembro

SINTOMAS DO MEDO DA POBREZA

- **Indiferença:** falta de ambição; disposição para tolerar a pobreza; preguiça mental e física; falta de iniciativa, de imaginação, de entusiasmo e de autocontrole.
- **Indecisão:** permitir que outros pensem em seu lugar; ficar "em cima do muro".
- **Dúvida:** álibis e desculpas para encobrir, explicar ou justificar os próprios fracassos, às vezes expressos na forma de inveja dos bem-sucedidos ou de críticas a eles.
- **Preocupação:** encontrar defeitos nos outros, gastar além de sua renda, negligenciar a aparência pessoal, ter mau humor; nervosismo, falta de equilíbrio, de autoconsciência e de autoconfiança.
- **Excesso de cautela:** procurar o lado negativo de todas as circunstâncias, pensando no possível fracasso em vez dos meios para obter sucesso. Conhecer todos os caminhos para o desastre, mas nunca planejar evitar o fracasso. Esperar o "momento certo" para colocar ideias e planos em ação até que a espera se torne permanente.
- **Procrastinação:** deixar para amanhã o que deveria ter sido feito no ano passado. Recusar-se a aceitar a responsabilidade quando ela pode ser evitada. Disposição para fazer concessões, em vez de lutar com firmeza. Negociar com a vida por um centavo, em vez de exigir prosperidade, contentamento e felicidade. Associar-se com quem aceita a pobreza em vez de buscar a companhia de quem exige e recebe riquezas.

20 de dezembro

O medo da crítica assume muitas formas, a maioria delas mesquinhas e triviais.

O medo da crítica rouba a iniciativa do homem, destrói seu poder de imaginação, limita a individualidade, tira a autoconfiança e o prejudica de centenas de outras maneiras. Os pais muitas vezes causam danos irreparáveis aos filhos ao criticá-los.

A crítica é a única forma de serviço que todos oferecem em demasia. Todo mundo tem um estoque dela, que distribui gratuitamente, seja solicitada ou não. Os parentes mais próximos de uma pessoa geralmente são os piores infratores. Deveria ser considerado crime (na realidade é um crime da pior natureza) qualquer pai ou mãe criar complexos de inferioridade na mente de uma criança por meio de críticas desnecessárias.

Os empregadores que entendem a natureza humana obtêm o que os homens têm de melhor, não com críticas, mas com sugestões construtivas. Os pais podem obter os mesmos resultados com os filhos. A crítica semeia medo ou ressentimento no coração humano, mas não constrói amor ou afeto.

Esse medo é quase tão universal quanto o medo da pobreza, e seus efeitos são igualmente fatais para a realização pessoal, principalmente porque o medo destrói a iniciativa e desencoraja o uso da imaginação.

21 de dezembro

SINTOMAS DO MEDO DA CRÍTICA

- **Autoconsciência:** geralmente expressa nervosismo, timidez ao conversar e lidar com estranhos, tem movimentos desajeitados das mãos e membros, desvio do olhar.
- **Falta de equilíbrio:** expressa falta de controle da voz, nervosismo na presença de outras pessoas, má postura corporal, memória fraca.
- **Personalidade:** falta de decisão, de charme pessoal e de capacidade de expressar opiniões de forma definitiva. Evita problemas em vez de enfrentá-los diretamente. Concorda com os outros sem examinar cuidadosamente suas opiniões.
- **Complexo de inferioridade:** expressa autoaprovação ao falar e agir como forma de encobrir um sentimento de inferioridade. Usa "palavras grandes" para impressionar. Imita os outros no vestuário, na fala e nas maneiras. Vangloria-se de realizações imaginárias.
- **Extravagância:** tenta "acompanhar os Grandes", gasta além de sua renda.
- **Falta de iniciativa:** não aproveita as oportunidades, tem medo de expressar opiniões, falta de confiança nas próprias ideias, dá respostas evasivas, hesita, tenta enganar com palavras e atos.
- **Falta de ambição:** tem preguiça mental e física, lentidão em tomar decisões, é facilmente influenciado pelos outros, critica os outros pelas costas, aceita a derrota sem protestar, desiste de um empreendimento quando outros se opõem, desconfia de outras pessoas sem motivo, não tem tato nas maneiras e na fala, tem dificuldade para assumir a culpa pelos erros que comete.

22 de dezembro

O medo de doença pode ser atribuído à hereditariedade física e social. Está estreitamente associado, quanto à sua origem, às causas do medo da velhice e do medo da morte, porque conduz intimamente à fronteira de "mundos terríveis" que o homem não conhece, mas a respeito dos quais ele aprendeu algumas histórias incômodas.

Há evidências contundentes de que a doença às vezes começa na forma de impulso de pensamento negativo. Esse impulso pode ser passado de uma mente para outra por sugestão ou criado por um indivíduo na própria mente. Foi demonstrado de forma muito convincente que o medo da doença, mesmo quando não há o menor motivo para isso, muitas vezes produz os sintomas físicos da doença temida.

Em geral, o homem teme problemas de saúde por causa das imagens terríveis que foram plantadas em sua mente sobre o que pode acontecer se ele morrer. Ele também tem medo do custo financeiro que uma doença pode acarretar.

23 de dezembro

SINTOMAS DO MEDO DA DOENÇA

- **Autossugestão:** uso negativo da autossugestão, procurando e esperando encontrar os sintomas de todos os tipos de doenças. "Viver" uma doença imaginária como se fosse real. Experimentar todos os "modismos" e "ismos" recomendados por algum suposto valor terapêutico. Falar de operações, acidentes e outras formas de doença. Experimentar dietas e exercícios físicos sem orientação profissional.
- **Hipocondria:** falar de doença, concentrar-se na doença e esperar seu aparecimento até que ocorra um colapso nervoso. (Nada que venha em frascos pode curar essa condição. Ela é provocada pelo pensamento negativo, e nada além do pensamento positivo pode efetuar a cura.)
- **Exercício:** o medo de problemas de saúde geralmente interfere no exercício físico adequado e resulta em excesso de peso, fazendo com que a pessoa evite a vida ao ar livre.
- **Suscetibilidade:** o medo de problemas de saúde quebra a resistência natural do corpo e cria uma condição favorável para qualquer forma de doença com a qual alguém possa entrar em contato.
- **Autoproteção excessiva:** tentar conquistar simpatia usando uma doença imaginária. (As pessoas costumam recorrer a esse truque para evitar o trabalho.) Fingir doença para encobrir a preguiça ou usar como justificativa para a falta de ambição.
- **Intemperança:** usar álcool ou narcóticos para aliviar dores em vez de eliminar sua causa. Ler sobre a doença e se preocupar com a possibilidade de ser acometido por ela.

24 de dezembro

A origem do medo da perda do amor precisa de pouca descrição, porque, obviamente, surgiu do hábito polígamo do homem de roubar a companheira de seu próximo e de tomar liberdades com ela sempre que pode.

O ciúme e outras formas semelhantes de demência precoce surgem do medo hereditário do homem de perder o amor de alguém. Esse medo é o mais doloroso de todos os seis medos básicos. Provavelmente causa mais estragos no corpo e na mente do que qualquer um dos outros medos básicos, pois geralmente leva à insanidade permanente.

25 de dezembro

SINTOMAS DO MEDO DA PERDA DO AMOR

- **Ciúme:** suspeitar de amigos e entes queridos sem qualquer evidência razoável ou fundamento suficiente. (O ciúme é uma forma de demência precoce que às vezes se torna violenta sem a menor causa.) O hábito de acusar a esposa ou o marido de infidelidade sem fundamento. Suspeita geral de todos, não há confiança absoluta em ninguém.
- **Encontrar defeitos:** encontrar defeitos em amigos, parentes, colegas de trabalho e entes queridos à menor provocação ou sem qualquer motivo.
- **Jogos de azar:** jogos de azar, roubo, trapaça e outros riscos para prover pessoas queridas, com a crença de que o amor pode ser comprado. Gastar além de suas posses, ou contrair dívidas para dar presentes a entes queridos, com o objetivo de criar um espetáculo favorável. Insônia, nervosismo, falta de persistência, fraqueza de vontade, falta de autocontrole, falta de autoconfiança, mau humor.

26 de dezembro

O medo da velhice surge de duas origens. Primeiro, o pensamento de que a velhice pode trazer consigo a pobreza. Segundo, e de longe a origem mais comum, de ensinamentos falsos e cruéis do passado, que foram muito bem misturados com "fogo e enxofre" e outros truques projetados com astúcia para escravizar o homem por meio do medo.

A possibilidade de problemas de saúde, que é maior à medida que as pessoas envelhecem, também é uma causa que contribui para esse medo comum da velhice.

Outra causa que contribui para o medo da velhice é a possibilidade de perda de liberdade e independência, pois a velhice pode trazer consigo a perda da liberdade física e econômica.

27 de dezembro

SINTOMAS DO MEDO DA VELHICE

A tendência a desacelerar e desenvolver um complexo de inferioridade na idade de maturidade mental, por volta dos quarenta anos, por acreditar erroneamente que se está "decaindo" por causa da idade. (A verdade é que os anos mais úteis do homem, mental e espiritualmente, são aqueles entre os quarenta e os sessenta anos.)

O hábito de falar desculpando-se por "ser velho" só porque atingiu a idade dos quarenta ou cinquenta anos, em vez de inverter a regra e expressar gratidão por ter alcançado a idade da sabedoria e do entendimento.

O hábito de matar a iniciativa, a imaginação e a autoconfiança acreditando-se erroneamente velho demais para exercer essas qualidades. O hábito do homem ou da mulher de quarenta anos de se vestir com o objetivo de tentar parecer muito mais jovem e adotar maneirismos da juventude, expondo-se, assim, ao ridículo diante de amigos e desconhecidos.

28 de dezembro

Para alguns, o medo da morte é o mais cruel de todos os medos básicos. A razão é óbvia: a terrível angústia do medo associado ao pensamento da morte, na maioria dos casos, pode ser atribuída diretamente ao fanatismo religioso. Os chamados "pagãos" têm menos medo da morte do que os mais "civilizados". Por centenas de milhões de anos, o homem tem feito as perguntas ainda sem resposta: "de onde" e "para onde". De onde vim e para onde vou? Os manicômios estão cheios de homens e mulheres que enlouqueceram por medo da morte.

Esse medo é inútil. A morte virá, não importa o que se possa pensar sobre isso. Aceite-a como uma necessidade e tire esse pensamento da cabeça. Ela deve ser uma necessidade, ou não viria para todos. Talvez não seja tão ruim quanto foi retratada.

29 de dezembro

SINTOMAS DO MEDO DA MORTE

O hábito de pensar em morrer em vez de aproveitar a vida deve--se, geralmente, à falta de objetivo ou de ocupação adequada. Esse medo prevalece mais entre os idosos, mas às vezes atinge também os mais jovens. O maior de todos os remédios para o medo da morte é um desejo ardente de realização, sustentado pelo serviço útil aos outros. Uma pessoa ocupada raramente tem tempo para pensar em morrer. Ela acha a vida muito emocionante para se preocupar com a morte. Às vezes, o medo da morte está intimamente associado ao medo da pobreza, quando a morte de alguém deixaria na pobreza os entes queridos. Em outros casos, o medo da morte é causado por doença e consequente perda da resistência do corpo físico. As causas mais comuns do medo da morte são: problemas de saúde, pobreza, falta de ocupação adequada, decepção com o amor, insanidade e fanatismo religioso.

30 de dezembro

A preocupação é um estado de espírito baseado no medo. Funciona de forma lenta, mas persistente. É insidiosa e sutil. Passo a passo, "vai se aprofundando" até paralisar a faculdade do raciocínio e destruir a autoconfiança e a iniciativa. A preocupação é uma forma de medo constante causada pela indecisão; portanto, é um estado de espírito que pode ser controlado.

Uma mente inquieta é impotente. A indecisão torna a mente inquieta. A maioria dos indivíduos não tem força de vontade para tomar decisões prontamente e sustentá-las depois de tomadas, mesmo em condições normais. Durante períodos de agitação econômica (como a que o mundo experimentou recentemente), o indivíduo é prejudicado não apenas por sua natural e inerente lentidão para tomar decisões, mas também é influenciado pela indecisão de outras pessoas ao seu redor, o que cria um estado de "indecisão de massa".

31 de dezembro

A vida é um tabuleiro de xadrez e o jogador à sua frente é o tempo. Se você hesitar antes de mover as peças, ou deixar de movê-las prontamente, suas peças serão eliminadas do tabuleiro pelo tempo. Você está jogando contra um parceiro que não tolera a indecisão!

Anteriormente, você poderia ter uma desculpa lógica para não forçar a vida a fazer tudo que você pedia, mas essa justificativa agora está ultrapassada, porque você possui a chave-mestra que abre a porta para as abundantes riquezas da vida.

A chave-mestra é impalpável, mas poderosa! É o privilégio de criar, *em sua própria mente*, um desejo ardente por uma forma definida de riqueza. Não há penalidade pelo uso da chave, mas há um preço a ser pago por deixar de usá-la. O preço é o fracasso. Há uma recompensa de proporções estupendas para quem usa a chave. É a satisfação que chega a todo aquele que *domina a si mesmo e obriga a vida a lhe dar o que pedir*.

A recompensa vale o esforço. Você vai dar o primeiro passo e se convencer?

SOBRE O AUTOR

Napoleon Hill nasceu em 1883, em Wise County, Virgínia. Ele trabalhou como assistente, "repórter da montanha" para um jornal local, gerente de uma mina de carvão e de uma madeireira, e cursou a faculdade de direito antes de começar a trabalhar como jornalista para a *Bob Taylor's Magazine* – um trabalho que o levou a conhecer o magnata do aço Andrew Carnegie, que mudou o rumo de sua vida. Carnegie acreditava que o segredo do sucesso poderia ser resumido em princípios que qualquer pessoa seria capaz de seguir, e convenceu Hill a entrevistar os maiores industriais da época para descobrir esses princípios. Hill aceitou o desafio, que durou vinte anos e formou o alicerce de *Quem pensa enriquece*. Esse clássico de construção da riqueza e um dos maiores *best-sellers* de todos os tempos em seu gênero já vendeu mais de 15 milhões de cópias em todo o mundo. Hill dedicou o resto de sua vida a descobrir e refinar os princípios do sucesso. Depois de uma longa e rica carreira como autor, editor de revistas, palestrante e consultor de líderes empresariais, o pioneiro motivacional morreu em 1970, na Carolina do Sul.

Livros para mudar o mundo. O seu mundo.

Para conhecer os nossos próximos lançamentos
e títulos disponíveis, acesse:

🌐 www.**citadel**.com.br

f /**citadeleditora**

📷 @**citadeleditora**

🐦 @**citadeleditora**

▶ Citadel – Grupo Editorial

Para mais informações ou dúvidas sobre a obra,
entre em contato conosco por e-mail:

✉ contato@**citadel**.com.br